W9-BNG-074

tout mon temps
pour toi

Du même auteur

Journal d'un disparu, Libre Expression, 2015.

MAXIME LANDRY

tout mon temps pour toi

Libre Expression

Une société de Québecor Média

Catalogage avant publication de Bibliothèque et Archives nationales du Québec et Bibliothèque et Archives Canada

Landry, Maxime, 1987-
    Tout mon temps pour toi
    ISBN 978-2-7648-0959-4
    I. Titre.
PS8623.A521T68 2016   C843'.6   C2016-940132-4
PS9623.A521T68 2016

Édition : Johanne Guay
Révision et correction : Marie Pigeon Labrecque et Céline Bouchard
Couverture et mise en pages : Axel Pérez de León
Photo de l'auteur : Julien Faugère

Cet ouvrage est une œuvre de fiction ; toute ressemblance avec des personnes ou des faits réels n'est que pure coïncidence.

Remerciements
Nous remercions le Conseil des Arts du Canada et la Société de développement des entreprises culturelles du Québec (SODEC) du soutien accordé à notre programme de publication.
Gouvernement du Québec – Programme de crédit d'impôt pour l'édition de livres – gestion SODEC.

Financé par le gouvernement du Canada

Les Éditions Libre Expression
Groupe Librex inc.
Une société de Québecor Média
La Tourelle
1055, boul. René-Lévesque Est
Bureau 300
Montréal (Québec) H2L 4S5
Tél. : 514 849-5259
Téléc. : 514 849-1388
www.edlibreexpression.com

Dépôt légal – Bibliothèque et Archives nationales du Québec et Bibliothèque et Archives Canada, 2016

ISBN : 978-2-7648-0959-4

Distribution au Canada
Messageries ADP inc.
2315, rue de la Province
Longueuil (Québec) J4G 1G4
Tél. : 450 640-1234
Sans frais : 1 800 771-3022
www.messageries-adp.com

Diffusion hors Canada
Interforum
Immeuble Paryseine
3, allée de la Seine
F-94854 Ivry-sur-Seine Cedex
Tél. : 33 (0)1 49 59 10 10
www.interforum.fr

PRÉFACE

Selon *Wikipédia*, un sablier est un instrument qui permet de mesurer un intervalle de temps par un écoulement de sable, ou d'une autre matière solide réduite en poudre, à l'intérieur d'un récipient transparent.

À l'origine, il était constitué de deux bulbes (ou ampoules de verre) placés l'un sur l'autre et reliés par un tuyau fin. Les progrès du soufflage de verre ont permis par la suite de les réaliser d'une seule pièce. Le bulbe rempli de sable fin, ou d'un corps similaire, est placé en haut et, par l'effet de la gravité, le sable s'écoule lentement d'un compartiment à l'autre. Une fois que tout le sable s'est écoulé dans le bulbe du bas, on peut retourner le sablier pour recommencer.

Autrefois, il était utilisé sur les bateaux pour mesurer le temps, par demi-heure. Les marins, pour abréger leur quart, retournaient l'ampoule avant qu'elle ne soit complètement vide. Ils « mangeaient du sable », selon une expression proverbiale de l'époque.

Selon *Larousse,* un sablier est aussi un petit récipient contenant le sable fin qu'on répandait jadis
sur les écrits qu'on voulait sécher, figer dans le
temps.

Moi, je l'utilise pour calculer le temps qu'il nous
reste…

1

Déjà 14 h 55. Le temps file à toute allure. Le sang qui circule dans mes veines s'active. J'essaie de garder mon calme, malgré toute l'effervescence d'un vendredi après-midi.

Patricia a complètement perdu le contrôle du téléphone de la réception. Il ne cesse de sonner.

Moi, je ne l'entends plus. Mon oreille s'est habituée au son strident qu'il projette sur l'étage.

La seule chose qui me dérange en ce moment, c'est le son aliénant de sa voix ! Il est insupportable. Presque autant que cette odeur fétide de poisson qui embaume mes locaux depuis ce midi. J'ai pourtant averti tout le monde de s'abstenir d'emporter de tels plats pour dîner. Qui a osé enfreindre la règle ?

Je ferai semblant que je n'ai rien remarqué, encore une fois…

Mon cœur bat à tout rompre. Une bonne centaine de battements à la minute. Mon médecin m'a dit qu'il ne fallait pas m'énerver, que ce n'était pas bon pour moi. En prenant de grandes respirations, je me répète inlassablement que tout va bien.

Autour de moi, plus personne ne bouge. Pour seul mouvement, les aiguilles qui poursuivent leur course folle sur l'imposante horloge ornant le mur du fond de mon bureau. Je me concentre sur celle-ci. J'entends chaque claquement que fait l'aiguille en parcourant les secondes. Le cadran indique 12 h 32 alors qu'on est en fin d'après-midi. Personne ne s'est jamais donné la peine de décrocher la gigantesque horloge de son trône pour la remettre à la bonne heure. À quoi peut-elle bien servir si elle n'est même pas capable de me situer dans le temps? Je ne peux pas m'y fier. Elle me ment en pleine face sans vergogne et je n'aime pas qu'on me mente. Bien que je ne dise pas toute la vérité, rien que la vérité, moi non plus. Même avec la main sur la Bible et un fusil sur la tempe, je crois que je trouverais le moyen de me faufiler. Surtout quand il s'agit de toi. C'est mon secret et je l'emporterai dans cette tombe que je creuse moi-même à force de courir face contre vent. Tout ce stress va finir par me tuer.

L'intensité de la situation dans laquelle je me trouve a fait grisonner mes cheveux prématurément. Celui que je croise dans la glace chaque matin a bien changé depuis que je t'ai dans la peau.

Tu me dis que je suis encore dans la fleur de l'âge. Tu n'as aucune idée. Tu continues de prendre ton temps. Tu me fais mijoter à ton gré.

Dans la froideur et l'immensité de mon bureau au centre-ville de Montréal, je me dépêche. Si je rate encore le rendez-vous que tu m'as donné, ce ne sera pas sans conséquence.

Je tremble tel un toxicomane qui a besoin de sa dose. Mon corps est en carence de toi.

La semaine dernière, j'étais en retard. J'ai bien peur que tu te venges cette semaine en m'infligeant le pire châtiment qui soit : ton absence.

Ce n'était pourtant pas ma faute.

C'est Lucas, le nouveau. Il travaille pour moi depuis seulement un mois et il commence déjà à me poser des problèmes. Je n'en peux plus de voir ses grands yeux abêtis me regarder alors que je lui explique le fonctionnement du télécopieur.

Ce matin encore, il a renversé son café sur une pile de documents que j'avais mis des semaines à remplir. Comme si j'avais le temps de faire mon travail en double.

Malgré tout, je ne veux pas m'en débarrasser. Il a quelque chose de sympathique ! Et je suis forcé d'admettre que je décèle en lui un certain potentiel. Sinon, je ne l'aurais pas engagé.

Au fait, on prononce « LOUCÂSSE », même s'il n'a rien d'exotique. Pas d'accent ou de teint basané. Juste une drôle de manière de prononcer son prénom. Peut-être qu'il a été conçu lors de la lune de miel en Jamaïque de ses deux parents québécois, imbibés d'alcool.

Peut-être est-il le résultat d'un soir d'excès de tequila au Mexique. Je n'en sais rien.

Quoi qu'il en soit, après plus de trente ans au sein de cette déprimante firme comptable, j'endure.

Lucas Rodrigues.

Si seulement on avait prononcé *Loucâsse Rodrrri-guèz*, il aurait eu des raisons de ne rien comprendre au français. Mais non. On ne prononce pas le S à la fin de Rodrigues.

Il veut ma peau, je crois, « LOUCÂSSE ».

Pendant ce temps, moi, je veux la tienne, ta peau. Je n'ai que cela en tête. Même si je ne l'ai jamais goûtée, touchée ou simplement vue. Tout comme je n'ai jamais entendu le son de ta voix, d'ailleurs. Je me plais à l'imaginer douce et belle comme un matin d'été.

Le temps s'enfuit, mais le désir reste. Le sable s'écoule toujours trop rapidement dans le conduit du sablier que j'ai déposé juste à côté de mon écran d'ordinateur, au moment où cette folie a commencé. Je l'ai acheté chez un antiquaire. Le vieillard m'a garanti que ses petits grains de sable comptaient quarante-cinq minutes exactement. J'ai du mal à y croire. J'ai payé une petite fortune pour de la poussière de cailloux qui n'est même pas foutue de me donner l'heure juste. Chaque fois, le temps s'égrène à toute allure. C'est un objet de collection, d'une valeur inestimable. Je ne peux pas le retourner d'où il vient. Pas tout de suite.

Chaque chose en son temps, m'a dit le vieux fou.

Ce sablier est devenu un outil de travail d'une importance capitale. Au même titre que ces calculatrices et ces documents qui traînent sur mon bureau en permanence, pour faire croire que je besogne un peu.

Tranquillement, le soleil se cache derrière l'immeuble d'en face. Fini le temps où je pouvais le contempler dans sa descente. Maintenant, tout ce que j'aperçois, c'est une pile de feuilles remplies de chiffres et de colonnes qui me flanquent la migraine.

Des tours gigantesques ont poussé à un rythme fou et pris la place du grand parc qui se trouvait de l'autre côté de la rue. Quand le soir tombe et que je suis encore au travail, je ne vois plus que les néons de l'édifice voisin.

Les murs beiges qui m'entourent me donnent le goût de vomir.

Rien n'a changé depuis mon stage en comptabilité dans ce cabinet qui s'appelait à l'époque «Jean-Claude et fils, firme comptable».

J'ai quitté la résidence familiale à dix-sept ans, direction Toronto, pour étudier la fiscalité. Tout était déjà clair dans ma tête. J'ai travaillé sans relâche, le jour comme la nuit, pour revenir le plus vite possible à Montréal et retrouver ma mère, que j'avais laissée seule dans notre grande maison, le cœur brisé. Diplôme en main, j'ai profité des quelques dernières semaines de ma vie encore dépourvue de responsabilité majeure. Puis, j'ai trouvé un emploi qui allait me permettre de rembourser mes dettes d'études et d'aider ma mère à payer les comptes qui s'accumulaient. Son petit salaire de crève-la-faim n'était plus suffisant pour subvenir à nos besoins. Je devais voler de mes propres ailes.

Ce jour-là, j'ai déniché un emploi au sein de «Jean-Claude et fils, firme comptable». Jean-Claude a vu en moi un grand potentiel. Il m'aimait bien, je crois. Lui et sa femme, Brigitte, m'invitaient souvent dans leur somptueuse demeure de Westmount. Cela changeait du quartier où je demeurais. Je n'étais pas habitué à cette vie remplie d'extravagances. De nombreux soupers bien arrosés suivis d'onéreuses parties de poker se déroulaient chaque semaine dans leur sous-sol, juste à côté de leur cave à vins d'une valeur d'environ trois cent cinquante mille dollars, paradis des alcooliques. Moi, je ne possédais rien d'autre qu'une vieille voiture de deux cents dollars que je m'étais empressé d'acheter avec ma toute première paye.

Jean-Claude a toujours eu envers moi une confiance aveugle. Si bien qu'il n'a jamais su pour Brigitte et moi, et il ne le saura jamais. Pourtant, ce n'est pas arrivé qu'une seule fois. On a même fait l'amour à côté de lui, sur son sofa de cuir, un soir où il s'était endormi, saturé d'alcool.

Brigitte était une femme magnifique. C'est elle qui m'a fait découvrir les plaisirs de la chair. Je n'avais eu que quelques petites aventures avant elle. Rien de vraiment concluant.

Elle devait avoir vingt ans de plus que moi. Je crois qu'elle en avait assez de son mari depuis un bon moment, mais l'ampleur de son compte de banque la motivait à rester. Elle disait qu'il buvait trop et qu'il ne faisait que travailler. Sans doute pour rembourser les petites fortunes qu'il perdait aux cartes.

Il n'était pas à jeun le soir de son accident. On se demande encore si cela en est un, d'ailleurs. Certains ont cru au suicide. Les policiers ont quand même gardé ce détail sous silence pour ne pas détruire sa réputation. Comble de l'ironie, il est entré de plein fouet dans le mur de béton d'une taverne miteuse. L'alcool l'aura conduit six pieds sous terre.

J'ai porté son cercueil jusqu'à la fosse et accompagné la veuve dans son deuil.

L'héritage fut un peu moins généreux que prévu, au bout du compte. Brigitte a reçu un appel du comptable de Jean-Claude quelques semaines après les obsèques. Les cartes de crédit du défunt étaient pleines et ses comptes bancaires, vides. Il venait de réhypothéquer sa maison pour payer ses dettes de jeu. L'abonné aux tables de black-jack aura perdu son combat contre la dame de pique.

N'écoutant que mon grand cœur, j'ai aidé Patrick et Olivier, ses deux jeunes héritiers, à prendre les rênes de l'entreprise familiale qu'il avait bâtie de ses mains, me déculpabilisant un peu d'avoir cocufié le pauvre homme qui m'avait servi de patron et à eux, de père.

Bien des années plus tard, je suis encore ici, à courir après le temps. Je ne compte même plus le nombre de messages de clients insatisfaits que j'ai reçus cette semaine. Je sais que tous ces dossiers qui traînent sur mon bureau devraient déjà être réglés depuis des mois, mais je n'ai pas la force de faire quoi que ce soit. Je refuse l'aide qu'on m'offre. Je ne veux personne dans mon bureau.

J'ai interdit au concierge de l'établissement de bouger ne serait-ce qu'un objet se trouvant sur la surface chargée de ma table de travail. Même si les taches d'encre noire ont très vite pris le dessus sur sa couleur acajou, défense d'en approcher à moins de deux mètres. Je ferai installer du barbelé s'il le faut. Ce bureau, c'est mon antre, mon jardin secret.

Je sens ma chemise s'humidifier juste à imaginer le temps que je perds à essayer de faire comprendre à « Loucâsse » comment imprimer ses foutus documents avec l'imprimante de la réception. Pourtant, il devrait déjà être en direction de la réunion hebdomadaire qui enferme et abrutit tout un étage de comptables autour d'une même grande table en chêne massif tous les vendredis après-midi pendant quarante-cinq minutes, ce qui me permet d'être seul.

Seul avec toi…

Il y a des avantages à trôner au même endroit pendant plus de la moitié de sa vie. Je peux m'épargner les réunions ennuyantes.

Moi, Greg – pour Grégoire –, je n'ai besoin que d'un petit compte rendu à la fin de la séance. Cela me suffit! Je suis président-directeur général de la compagnie et le mot «associé» ne désigne plus personne d'autre que moi depuis un bon moment déjà. C'est simplement que «Porter and only Porter», cela sonnait moins bien. Un peu trop prétentieux. Il ne m'aura fallu que deux ans pour venir à bout des garçons de Jean-Claude. Maintenant, c'est moi, le patron. C'est moi qui décide de tout. Mon cabinet est devenu une véritable institution dans le domaine. Pourquoi est-ce que je continue à venir au bureau chaque jour? Pourquoi est-ce que je travaille si tard, même le vendredi soir, malgré mes millions? Par souci de professionnalisme, voyons!

Chez Porter & associé, c'est primordial.

Notre devise: «Laissez-nous compter pour vous, vous pouvez compter sur nous.»

Bon... Entre nous, la seule raison valable à mon assiduité professionnelle, c'est toi.

Enfin, la tête débordante des informations que je me suis empressé de lui balancer en pleine tronche pour qu'il me fiche la paix, l'importé des îles paradisiaques – l'Île-des-Sœurs, plus précisément – rejoint gentiment les troupes en salle de conférences.

Je n'ai que trois minutes de retard. Le temps m'a paru tellement plus long. Que cela me serve de leçon. Vendredi prochain, si je vois Lucas faire deux pas dans ma direction juste avant 15 heures, j'en finirai avec lui une bonne fois pour toutes.

Le temps file, je devrai bien calculer. J'y suis habitué, c'est mon métier. Mais avec toi, c'est différent. Tu bouscules tout ce qui se trouve dans le périmètre restreint de mon cerveau. Le temps s'arrête. Je cherche frénétiquement la manette qui contrôle les immenses toiles qui rendent opaques les fenêtres de mon bureau.

Je m'énerve.

Je n'avais aucun souvenir de l'avoir posée sur un de mes classeurs.

D'une seule pression sur le bouton inférieur, je me coupe du monde extérieur. Au fur et à mesure que la noirceur s'installe, un sentiment de bien-être m'envahit.

Il me faudra terminer un peu avant le sablier que je m'empresse de retourner en faisant bien attention de ne pas le laisser échapper. La poussière qu'il contient vaut une petite fortune pour moi. J'en prends soin comme s'il s'agissait des cendres d'un membre de ma famille.

Je regarde une dernière fois autour de moi, tandis que quelques gouttes de sueur tombent sur mon clavier d'ordinateur. Je m'enfonce confortablement dans mon fauteuil. Je me prépare à affronter le raz-de-marée. Mon cœur me supplie d'arrêter, mais je ne peux pas. La peur de me faire prendre, mêlée à l'excitation que cela me procure, est si intense que je m'empêche de respirer pendant d'interminables secondes. Mes lèvres virent tranquillement au bleu.

Les doigts tremblants comme des feuilles en automne, j'entre le nom d'utilisateur et le mot de passe qui me rapproche de toi. Je te retrouve. Juste à côté de ton pseudo-nom, j'aperçois un minuscule point vert s'illuminer, signe que tu es en ligne.

Lucas est sauf... Il pourra rester en vie encore un peu...

Le temps s'accélère. Il double la cadence. Tu m'emmènes dans des endroits où je ne pensais jamais aller un jour. Un aller simple vers l'infini. Je n'ai jamais rien vécu de semblable.

Tu me fais rire. Je m'esclaffe. Je m'abreuve à tes mots. Tu écris dans un français impeccable. Même sans te voir, je te trouve sexy. J'attends tes réponses avec un petit sourire en coin. Je mordille le bout d'un crayon avec fébrilité. Je suis presque à bout de sable.

Malgré ma volonté, je retombe sur terre lorsque le sable amoncelé dans le compartiment inférieur du sablier m'annonce la fin de notre entretien. Juste après t'avoir fait un dernier au revoir pour cette semaine, au moment de poser ma main agitée sur mon ordinateur pour le refermer, je reçois un dernier petit message, très court, mais qui vaut bien les quelques minutes qu'on vient de passer ensemble.

514-555-4238

D'un seul coup, je m'écrase au fond de ma chaise, la main sur le cœur.

Je ne sais trop qu'en faire… Est-ce la fin de nos échanges virtuels ? Le côté rationnel en moi me dit que je suis en train de faire une belle connerie.

Pendant deux minutes, je fixe mon téléphone cellulaire sur mon bureau, juste à côté de mon ordinateur. Avec la fougue d'un adolescent, je l'empoigne et j'ouvre l'onglet contact en me disant que, de toute façon, même si je t'envoie mon numéro, cela ne veut pas dire que tu m'écriras… Alors, ton contact se perdra parmi la mer de numéros de téléphone de clients que j'ai accumulés au fil des années et personne n'en saura rien.

Je balance entre la raison et la folie. Je crois que je ne suis plus apte à prendre des décisions éclairées en fin de journée.

Au diable !

Numéro de téléphone : 514-555-4238

Nom : _____

Je ne le connais même pas… Je ne peux pas utiliser ton pseudonyme non plus. Il est un peu trop suggestif, je risque de me faire prendre. Recevoir des messages d'une certaine Honey45, ce n'est pas très professionnel. Je dois trouver mieux.

Nom : Patricia

C'est le nom de ma réceptionniste. C'est logique que j'aie son numéro de téléphone dans mes contacts.

Sans se douter de rien, mes employés sortent de la salle de conférences, les fenêtres de mon bureau laissent de nouveau passer la lumière et le temps redevient le temps.

Moi : Maintenant, tu as mon numéro !
Jamais en soirée STP ! xxx

Patricia : Promis !

Depuis maintenant une heure, la voiture m'attend en bas, devant la porte de l'édifice de mon bureau. Je veux bien faire le plus vite possible, mais un départ comme celui-là, ça se prépare. Rien ne doit être laissé au hasard. Je dois m'assurer que tous mes employés sont capables de fonctionner pendant mon absence. Je fais le tour de mon cabinet une dernière fois pour saluer tout le monde.

Ça y est, c'est l'heure.

J'appuie sur le bouton de l'ascenseur, je respire un grand coup et me retourne en m'appuyant contre le mur en l'attendant. La cloche signifiant son arrivée me fait sursauter. J'y entre maladroitement, les bras chargés de valises.

L'ascenseur qui dévale les douze étages me procure une sensation de montagnes russes.

Gérard m'accueille, le coffre de sa voiture grand ouvert et le sourire aux lèvres, malgré mon retard.

— Bonjour, Gérard, pardonnez-moi pour l'attente.

— J'ai tout mon temps, monsieur.

Il m'aide à hisser mes valises dans le coffre et m'ouvre la portière, courtoisement.

On ne se dit pas un mot pendant le trajet, mais il me connaît bien et depuis longtemps. Par un simple coup d'œil au rétroviseur, il ressent toute la fébrilité qui bouillonne en moi depuis notre départ. Tandis que nous sommes arrêtés à un feu rouge, mon corps s'active. Je m'impatiente. Je m'étais pourtant promis de rester calme même si je savais bien que j'allais devoir me faire violence. Malgré ma hâte, il respecte le code de la route. Quand le feu vire au vert, la tempête retombe pour quelques kilomètres puis reprend de plus belle lorsque nous arrivons devant ta maison. Le plus rapidement possible, Gérard fait le tour de la voiture pour m'ouvrir la portière. Il arrive trop tard. Je suis déjà dehors, à t'attendre. Depuis le temps que j'en rêve, je ne veux pas manquer une seconde de ce que je m'apprête à vivre.

2

Je crois que personne ne se doute de rien. Avec le temps, je suis passé maître dans l'art de la cachotterie. Un vrai caméléon. Je camoufle tout et je me fonds dans le décor quand vient le temps de m'adonner à mon activité favorite de la semaine, le miel après l'amertume des durs labeurs : toi, Honey45.

Je ne fais de mal à personne. Je ne suis qu'un être humain en quête de quelque chose d'inaccessible, ce qui rend la situation terriblement excitante. C'est la seule chose qui me donne l'impression d'être bien vivant.

Puisqu'on ne peut pas accuser un criminel sans avoir de preuves irréfutables de son délit, je ne laisse rien au hasard. Je me demande en permanence s'il y a quoi que ce soit dans mon environnement qui serait susceptible de trahir ton existence. Mon pire ennemi est sans aucun doute mon ordinateur portable. Il renferme autant de secrets que ceux du FBI. J'en change le code tous les vendredis soir avant d'abandonner la scène du crime. Je défie quiconque d'essayer de le deviner.

Non, je ne suis pas cinglé. Je vous le jure. On n'est jamais trop prudent quand il s'agit d'informations personnelles. Nul n'est à l'abri des cracks en informatique qui tentent de s'immiscer dans vos vies pour la foutre en l'air, par pur plaisir.

Je n'ai pas d'autre choix que d'agir ainsi. De cette façon, si je meurs brusquement, ils devront détruire tout ce qui se terre à l'intérieur de ma ruche, et j'emporterai avec moi ce secret que j'entretiens avec un plaisir sucré.

Au début, c'était par simple curiosité. Je n'avais pas dormi la nuit précédente. Je devais prendre l'avion très tôt ce matin-là pour atterrir à John F. Kennedy. Au programme : rencontrer d'importants investisseurs de Wall Street. Cela peut sembler banal, mais quand tu t'intéresses un minimum à la Bourse, c'est l'orgasme.

Je devais passer une journée complète à analyser des colonnes de chiffres. J'étais entouré des plus grands magnats de la finance. Des as du portefeuille.

J'étais là, à essayer de déjouer la cupidité brillant dans leurs pupilles et leur appétit vorace pour les quelques milliers de dollars qu'il était possible de faire en un simple clic. Tout être humain devient un escroc quand il s'agit d'argent. Pour m'amadouer un peu, on s'est mis à faire défiler devant moi des bouteilles de vin à trois cents dollars. Ils croyaient réussir à m'avoir de cette façon. Je voyais clair dans leur petit jeu. J'étais plus intelligent que ça. Les soupers dans les grands restaurants ne me font plus aucun effet maintenant. Ce n'est qu'artifice.

Après avoir déjoué maintes tentatives de séduction professionnelles, j'avais regagné mon hôtel dans un des soixante-trois mille taxis jaunes de la ville, avec la vague impression d'avoir perdu douze heures de ma vie.

Il faisait froid dans ma chambre du chic New York Hilton Midtown, situé en plein cœur du centre-ville de Manhattan. Comme si je n'avais pas payé assez cher la nuitée pour activer le système de chauffage.

J'ai asséché le minibar, question de faire le vide de tous ces chiffres s'agrippant aux parois de mon crâne.

Je venais de perdre au change. Plusieurs milliers de dollars. J'avais besoin qu'on me réconforte un peu. Après un petit tour au bar de l'hôtel, je revenais à ma chambre, tanguant comme si je me trouvais à bord d'un gigantesque bateau de croisière.

J'ai ouvert mon ordinateur pour jeter un dernier coup d'œil à mes courriels quand une fenêtre de publicité intempestive est apparue.

POUR CÉLIBATAIRES
AVERTIS SEULEMENT

J'ai cliqué sur la publicité, par simple curiosité, ce qui m'a automatiquement redirigé vers le site en question.

Je jure que cela se passait seulement quand j'étais en voyage d'affaires, lorsque je me trouvais à des centaines de kilomètres du bureau. Comme si cela diminuait les risques de me faire prendre la main dans le sac, ou dans le pantalon.

Un site de rencontres tout ce qu'il y avait de plus inoffensif. Je ne touche à personne d'autre qu'à moi. J'en ai vu de toutes sortes. Des endeuillées, des suicidaires, des nymphomanes, des cocaïnomanes, des mineures dissimulées sous de faux profils… Je ne t'ai pas trouvée du premier coup !

Je suis d'abord tombé sur Carole. Elle avait perdu son mari quelques jours après avoir célébré vingt-deux ans de vie commune. La pauvre. Elle ne s'en était pas tout à fait remise. Si tu avais vu nos échanges ! Sa situation était tout de même tragique, j'en conviens. Mais elle aurait dû vivre son deuil avant de s'inscrire à un site semblable. Elle ne parlait que de lui.

Un soir, après de longs échanges sur les marques de voitures que son défunt mari avait conduites, je lui ai gentiment fait croire que j'avais rencontré quelqu'un et que je devais quitter le site. En sympathisant avec elle, j'ai changé mon pseudonyme pour être bien certain qu'elle ne me retrouve pas !

Il y a aussi eu Maureen. Avec elle, rien n'était… disons… ordinaire. Elle avait tellement de choses à dire que je n'avais jamais le temps d'écrire quoi que ce soit. Elle n'avait qu'un seul et même sujet en bouche, le sexe. Aucun homme ne s'en serait plaint. Elle disait qu'elle pouvait faire la chose trois ou quatre fois par jour. J'étais trop vieux pour cela. À mon âge, le sexe se consume une fois par semaine, le dimanche, avant la messe. Trois ou quatre fois par jour, vraiment? Même à vingt ans, je n'ai jamais pu me vanter d'un tel exploit. J'ai dû laisser tomber la nymphomane aussi.

Évidemment, je me demandais ce que je recherchais au juste sur ce site. Je ne peux pas encore expliquer le sentiment que cela me procurait. J'avais l'impression de me sentir vivant. Je trouvais cela excitant de savoir que j'entretenais une conversation avec une femme que je ne rencontrerais probablement jamais de ma vie, en espérant qu'il s'agissait bel et bien d'une femme, évidemment!

Puis un jour…

Une certaine Honey45 m'a écrit dans ma boîte de messagerie privée. Une seule conversation m'a suffi pour me rendre compte que tu étais intelligente, drôle et mystérieuse. Aucune photo sur ton profil, aucune information personnelle. J'en ai vite déduit que tu étais là, tout comme moi, pour satisfaire un besoin viscéral. Celui de te sentir vivante et de ressentir les papillons virevolter en toi.

Je suis devenu accro. J'allais même jusqu'à m'inventer des voyages d'affaires pour me retrouver le plus souvent possible à l'extérieur, dans le but de bien entretenir ma perversion. J'ai toujours tout fait pour que personne autour de moi ne s'aperçoive de quoi que ce soit.

Je m'étais ouvert un quatrième compte en banque que je n'utilisais que pour régler mes frais d'adhésion mensuels à Réseau-Rencontres. Plus le temps avançait, plus je m'attachais. Jusqu'au jour où, en bon cyberdépendant, je n'ai plus su me contenter de ne discuter avec toi qu'une fois toutes les trois semaines, au gré des voyages d'affaires.

Je ne sais rien de toi. Je ne sais pas d'où tu viens, ce que tu fais dans la vie, ni l'odeur de ta peau. Je ne sais pas comment s'appellent tes parents et s'ils sont encore en vie. Je ne connais pas la marque de voiture que tu conduis. En fait, je ne sais même pas si tu conduis. Je n'ai aucune idée de ton tour de taille ni de la couleur de tes cheveux. As-tu l'océan au fond des yeux ? Est-ce que tu t'émeus devant un film pour enfants ? As-tu des allergies ? Quel est ton plat favori ? As-tu un mari, des enfants ? Pire, les deux ?

Dès que je pose mes doigts sur le clavier de mon ordinateur en sachant que je vais te retrouver, je ne suis plus moi-même. Je perds la notion du temps. Je ne suis plus sûr de rien.

Tout ce que je connais, c'est le sentiment que tu me procures. Avec toi, le temps se fige. Soudain, je ne cours plus à m'en essouffler.

J'ai besoin d'un point de repère pour me sortir du gouffre dans lequel tu me plonges pendant nos échanges. Impossible d'y résister. Je n'ai aucune idée d'où tout cela va nous mener. Je ne cherche même pas à le savoir. Tu es une drogue dont je ne pourrais désormais plus me passer.

Moi : Salut, toi !

Patricia : Tiens, tiens !
Je me demandais si tu
allais m'écrire par texto !

Moi : Ce sera plus rapide comme
ça et je n'aurai pas à attendre
au vendredi après-midi !
As-tu passé une belle journée ?

Patricia : Oui, malgré tout.
J'attends des nouvelles
de l'exterminateur.
Je t'avais parlé de
mon problème de
fourmis à la maison...
Ces bestioles vont
me rendre folle.

Moi : Dommage...
Je souhaite que tout
rentre dans l'ordre.

Patricia : Merci... Et toi ?

Moi : J'ai eu une grosse
journée. Je quitte le bureau.
Rendez-vous important...
Bonne soirée ! xxx

Patricia : Merci. Bonne
soirée à toi, bel inconnu ! ☺

C'est un soir de première. De ma main droite,
je vérifie mon haleine, juste avant de prendre
la dernière gomme du paquet que j'ai acheté
ce matin. Je n'ai ni fumé ni bu de café pour
être sûr d'être frais comme une rose au moment
du premier baiser. Le vent qui me gifle le
visage apaise la chaleur qui s'empare de mon
corps.

En respirant très fort pour amadouer les
papillons qui s'affolent en moi, je me demande
si je serai à la hauteur. Encore une fois, je doute.

J'ai peur d'avoir oublié quelque chose. Je
retourne à la voiture pour jeter un millième
coup d'œil au coffre de celle-ci, où sont rangés
ma valise et un bagage à main dans lequel j'ai
glissé ma caméra vidéo, l'appareil photo que je
viens d'acheter pour l'occasion, mon passeport
qui enfin sera estampillé pour autre chose qu'un
voyage d'affaires et une boîte contenant mon
sablier, enveloppé dans un foulard de velours
bleu azur.

Je regarde une dernière fois mon reflet dans la vitre teintée de la voiture et replace mes cheveux. Je crois que le stress fait enfler ma gorge. Nerveusement, je redresse ma cravate en prenant soin de la desserrer un peu avant qu'elle m'étouffe. Puis je reviens vers ta porte.

J'ai comme un sentiment de déjà-vu, sauf qu'aujourd'hui je porte du Hugo Boss et non un vieil habit jaune moutarde comme lors de mon premier rendez-vous galant. Mes cheveux blancs ont soudainement disparu. Je suis redevenu adolescent, les boutons en moins.

Les aiguilles font marche arrière et le sable remonte, tout à coup, dans le sablier.

Je t'aperçois à travers la petite fenêtre givrée de la porte d'entrée et tu me fais signe que tu seras prête d'une minute à l'autre. J'oublie que cela fait maintenant quinze minutes que je t'attends.

Le petit bout de femme que j'ai entrevu me travaille le corps. Ta silhouette m'inspire. Tu es plus belle encore que ce que j'avais imaginé.

3

L'odomètre indique cent vingt-sept kilomètres-heure. L'aiguille affichant le niveau d'essence, quant à elle, m'avertit que je ne pourrai même pas faire les quelques kilomètres qui nous séparent, elle et moi. Je peste contre ma négligence. L'écran qui me sert de GPS prend un malin plaisir à me rappeler que je serai en retard, une fois de plus. Ce n'est rien pour aider ma cause.

Arrivée prévue à 20 h 17, me dit-il en gros caractères. Quarante-sept minutes trop tard.

Ce n'est pas le temps qui me chavire comme ça. C'est elle. Elle ne s'habitue pas. Ponctuelle de la pire espèce, elle m'attend impatiemment depuis 19 h 30, comme prévu.

Chaque vendredi, c'est la même histoire.

D'ici, je l'imagine, s'agitant dans le grand fauteuil en velours qui accueille ses jolies petites fesses tous les débuts de week-end depuis des années. Je la connais, je l'ai épousée.

Les deux mains gantées pour ne pas me geler le bout des doigts sur le volant en cuir gainé de ma

BMW flambant neuve, je fonce vers mon «important» rendez-vous. Mon cœur bat encore et toujours la chamade, mais différemment cette fois-ci.

Vendredi, journée de torture passionnée qui me prouve que je suis vivant, mais qui pourrait bientôt finir par me tuer.

Malgré mon retard, je suis obligé de prendre la première bretelle à la sortie du pont Champlain afin d'éviter la panne sèche. Je me range à la pompe numéro quatre, comme toujours. Celle qui est plus près de la porte, ce qui me permet de gagner quelques secondes.

D'un signe de la main, je salue Gisèle, qui s'empresse de programmer la pompe. C'est le jour de la marmotte, en plein cœur d'un hiver glacial.

Toujours les mêmes gestes qui se répètent. J'achète un gallon de lave-glace, cinquante-deux litres d'essence, une cannette de Budweiser, un Du Maurier King-size et un paquet de gomme, pour éliminer tout soupçon. J'ai quand même arrêté de fumer il y a dix ans maintenant.

Je paye en argent comptant, et je lance mon coupon de caisse dans la poubelle à côté de la pompe numéro deux, qui est hors d'usage depuis près de trois semaines. Un simple papier oublié dans le fond d'une poche peut prouver tellement de choses. L'erreur pourrait être fatale.

Le ninja en complet Hugo Boss a compris depuis fort longtemps !

Mon corps me remercie de lui offrir quelque chose, même si ce n'est que du liquide. Depuis ce matin, je n'ai pas été capable d'avaler quoi que ce soit. Le jeûne total. Cette journée va me rendre fou. Une fois de plus, je fais un petit signe de la main à Gisèle, cette vieille caissière que je ne reverrai que la semaine prochaine. Elle est habituée à me voir courir ainsi. Elle prépare le retour de monnaie avant même que j'aie franchi la porte du dépanneur. Elle ne me pose même plus la question : « King-size ou régulier ? » Elle me tend simplement le paquet en me faisant un grand sourire. Elle sait que le temps est précieux !

Je boucle ma ceinture. La fanfare reprend de plus belle. J'approche de la sortie numéro 11.

Je ne me demande même pas comment elle sera habillée. Même Giovan, le propriétaire mafieux du chic Casa, restaurant italien que nous fréquentons depuis des lustres, la connaît par cœur. Ce n'est plus un secret pour personne. Une magnifique robe noire de chez Prada, un collier de perles et des souliers à talons si hauts qu'ils lui permettent d'atteindre ma hauteur. Je la trouve splendide, oui. Ce n'est pas cela le problème.

De la fenêtre, je l'aperçois. Nerveusement, elle cherche du regard celui qu'elle appelle son mari depuis vingt-sept ans maintenant. Elle devait pourtant s'attendre à mon retard. Je lui ai envoyé un texto sur le cellulaire que je lui ai offert pour qu'on puisse rester en contact lors de mes nombreux voyages et durant mes réunions qui s'éternisent.

Tout cela à sa demande, bien sûr, puisque je n'ai aucun intérêt à ce qu'elle puisse me joindre pendant mes « voyages d'affaires ».

Le téléphone est sur la table juste à côté de son sac à main orné de diamants, qui sont tout de même plus petits que celui qui alourdit sa main gauche. Elle l'empoigne avec fougue pour vérifier l'heure qu'il est, question de me remettre en pleine face que je ne changerai donc jamais.

En appuyant sur le bouton de son téléphone, elle découvre mon texto : « Chérie, j'arrive ! » Exaspérée, elle soupire en levant les yeux au ciel, l'air de se dire : « Ma mère me l'avait pourtant dit. » Cela arrive chaque semaine, et malgré tout je n'ai jamais d'excuse valable à lui proposer.

Mon apéro est déjà sur la table. Giovan…

C'est lui que j'aurais dû épouser. Je crois qu'il sait pour moi et mes aventures virtuelles. Il me semble bien lui avoir dit, un certain soir de cognac Louis XIII à plus de cent dollars l'once. Il ne répétera rien. C'est le parrain de la mafia. Il a connu pire. Il a sûrement plus d'un corps dans le coffre arrière de sa luxueuse Cadillac noire.

Il s'empresse de venir m'embrasser pour me saluer. Ah, ces Italiens !

Il a plus de bagues que de doigts. Une chemise beaucoup trop grande lui fait office de vêtement. Il porte à son cou une chaîne en or qui vaut probablement six fois le prix de la bouteille de blanc qu'il a pris soin de déposer sur la glace, pour elle, juste à côté de notre table. Inutile de dire quoi que ce soit. On fait presque partie des meubles ici. Notre table est toujours réservée, chaque vendredi.

— L'ami! As-tu passé une belle semaine?

Avec le temps, j'ai fini par m'habituer à son accent. Je le trouve même charmant.

— Tu sais comme moi à quel point j'ai hâte au vendredi pour te retrouver, Giovan!

Du coin de l'œil, je remarque son regard foudroyant. Je la comprends. Elle m'attend ici depuis bientôt cinquante minutes, et tout ce que je trouve à dire c'est à quel point le propriétaire de l'établissement m'a manqué.

— Tu continues avec le cognac ou du *vino*?

— Cognac.

J'ai besoin de quelque chose de fort, malgré les brûlures d'estomac qui me disent que je devrai bientôt me mettre quelque chose sous la dent. Avec un cachet qui devrait régler mon reflux gastrique, je prends une bonne gorgée pour camoufler mon haleine de bière. Celle que je me suis enfilée en route, en irresponsable que je suis.

Puis, je fais le tour de la table pour l'embrasser, elle, machinalement.

Malgré tout, elle arbore un sourire et me dit:

— Est-ce que je t'ai manqué un peu, moi aussi?

Je me demande si le ton est sincère ou sarcastique.

— Bien sûr que oui, voyons.

C'est fait. La routine reprend. Je m'efforce de répondre correctement au questionnaire qu'elle m'impose chaque fois.

— Tu es arrivé en retard…

— Je sais, chérie. J'ai un nouvel employé, tu te souviens ? Je t'en ai parlé hier. Il a besoin que je le forme comme il faut avant de pouvoir se charger seul d'un dossier.

— Tu n'as pas l'habitude d'être aussi patient…

— Je crois que ce sera un bon travailleur. Il suffit qu'on l'aide un peu. Tout le monde a droit à sa chance, non ?

Elle enchaîne mille et une questions sur ma semaine de travail.

Je m'énerve.

— Est-ce qu'on ne pourrait pas parler de quelque chose d'autre ? Je viens tout juste de sortir du bureau et j'ai l'impression d'y être encore !

Je veux qu'elle change de sujet, prétextant ne pas avoir envie de ramener le travail sur la table quand je passe du temps avec elle.

La vraie raison, c'est que cela me fait toujours le même effet. Dès que je pense au bureau, je m'évade. Soudainement, je ne suis plus ici avec elle. Je suis avec toi, dans mon monde virtuel.

Giovan est attentif, de loin. Accoudé au comptoir, il assiste à nos discussions enflammées chaque semaine.

— Excuse-moi, je dois aller aux toilettes, dit-elle.

Au simple mouvement de la main que je lui adresse, Giovan comprend. J'ai besoin de plus de cognac. De la tête, il désapprouve. Je lui fais signe que ce sera mon dernier pour ce soir.

Lorsqu'il empoigne la bouteille de sa main de maître, je devine que ce ne sont pas les verres que je m'enfile qui le dérangent. C'est plutôt mon mariage qu'il voue à l'échec.

Ma femme ramasse son sac à main, se lève et se dirige tout droit vers les toilettes. Giovan en profite pour s'amener ! Je tends mon verre pour lui faciliter la tâche.

Tout à coup, posé sur la table juste à côté de mon tartare de saumon à moitié gaspillé, mon cellulaire vibre. C'est Patricia. Elle est complètement folle. Je lui avais pourtant dit de ne jamais m'écrire après 17 heures.

Patricia : Je pense à toi. xxx

La panique m'envahit. En remplissant mon verre, Giovan remarque la sueur qui perle sur mon front.

— Elle te fait de l'effet, cette Patricia, dis donc !

Je le regarde en fronçant les sourcils.

— Conseil d'ami, fais attention, mon cher ! C'est dangereux, tout ça !

J'ai à peine le temps de cacher mon cellulaire dans le fond de ma poche que j'aperçois ma femme qui sort des toilettes et s'avance vers la table.

Est-ce que j'ai changé mon mot de passe aujourd'hui ? Je n'en ai plus aucun souvenir. Pourtant, je n'oublie jamais ce genre de chose. Je crois que je me fais trop vieux pour cette galère. Je suis parti si rapidement du bureau que les derniers instants m'échappent. Je me repasse la scène au ralenti. Soudain, je m'apaise. En remerciant Giovan pour le bon nectar qu'il m'a servi, je reviens tranquillement à moi… et à elle.

On mange, mais on boit surtout. L'alcool me soûle autant que sa conversation. On parle des enfants que nous n'avons jamais eus. On recule un peu dans le temps. La nostalgie s'empare d'elle.

Puis, on calcule un peu. On se rend compte que cela fait vingt-sept longues années que nous sommes mariés. Par principe, on se dit qu'il faudrait bien planifier un voyage. Je n'y vois pas d'objection.

Je lui tends ma carte de crédit personnelle, celle qu'elle utilise quand bon lui semble. On sait bien tous les deux qu'on ne le fera jamais, ce voyage, de toute façon. Il y a tant de choses qu'on a lancées, comme ça, dans les airs, mais qu'on n'a jamais accomplies. On voulait voyager, avoir des enfants, une maison de campagne, un chien… On rêvait de vivre, tout simplement.

Vers minuit et demi, je demande l'addition, qui sera sûrement plus élevée que la facture d'Hydro d'un mois de janvier rigoureux. Heureusement que Giovan effectue quelques ajustements à la main, une fois la note imprimée.

Les bons comptes font les bons amis. Comme je ne voudrais surtout pas me retrouver dans sa liste d'ennemis, je règle les quatre cent quarante-cinq dollars avec ma carte de crédit de la compagnie, comme s'il s'agissait d'un souper d'affaires.

Puisque ma femme et moi sommes tous les deux étourdis par l'alcool, j'envoie un texto à Gérard, qui sera là d'une minute à l'autre. Lui, c'est le chauffeur de taxi-raccompagnement qui est devenu mon chauffeur privé au fil des années. Je le connais depuis vingt bonnes années. Il faut dire qu'avec moi il a presque un emploi à temps plein! À quelques années de sa retraite, il a estimé que ce que j'avais à lui offrir comme salaire hebdomadaire lui suffirait amplement. J'ai quand même besoin de mon autonomie. Il m'arrive de conduire à l'occasion, mais jamais quand j'ai les facultés affaiblies… ou presque…

Sur la banquette arrière de la voiture, je pense encore à toi. Je sens mon jeans se resserrer. Pourtant, notre séance m'a donné tout ce que je désirais. Il me faut encore plus. Je dois te rencontrer.

Anna, ma femme, dépose sa main sur ma cuisse et remarque mon érection. Malgré cela, rien ne va se passer puisque nous faisons chambre à part depuis bientôt un an, comme de vieux amis. Le vendredi, je la rejoins pour discuter un peu avant qu'elle s'endorme et que je ne regagne mon lit.

Le portail de l'imposante clôture s'écarte pour laisser passer la voiture. Gérard ouvre la portière de ma femme, qui sort et s'avance d'un pas rapide vers le seuil de l'immense porte en bois. Moi, j'ai besoin d'un peu de temps, épuisé par la course folle que j'ai menée aujourd'hui.

Une fois dans la chambre, sans un mot, on se déshabille et se glisse dans les draps de satin de son grand lit. Il ne lui faut que quelques minutes pour sombrer dans les bras de Morphée. Je l'envie. Je n'ai jamais été capable de m'endormir aussi vite.

Je me lève et descends l'escalier sur la pointe des pieds pour ne pas la réveiller. Seul dans le sous-sol, je relis les quelques messages que toi et moi nous sommes échangés. Je me retiens un instant, puis j'abdique.

Moi : Je ne sais pas si tu dors déjà, mais je te souhaite une belle nuit. xxx

Patricia : Je m'apprêtais à aller au lit... Je m'excuse pour le message de tantôt. Je n'avais pas vu l'heure...

Moi : Ça va ! J'étais en souper d'affaires.
Je n'ai pas pu répondre.

Patricia : Tu travailles beaucoup !

Moi : Il le faut ! ☺

Patricia : As-tu un peu
de temps pour toi ?

Moi : J'essaie ! De plus en plus...

Patricia : Bonne nuit à toi. xxx

Moi : Dors bien ! xxx

C'est le début d'une nouvelle histoire, celle qui sera la nôtre. On la fera belle et à notre façon.

La porte de la maison s'entrouvre, en même temps que mes bras, qui sont prêts à t'accueillir. Les tiens sont chargés de tes bagages. Je me demande si l'on pourra tout loger dans le coffre. Je crois que je n'ai pas prévu assez d'espace. J'aurais bien dû me douter qu'une femme qui part en voyage emporte plus qu'un sac à dos.

Difficilement, tu descends les quelques marches en béton du balcon pour t'approcher de moi. La mâchoire sur l'asphalte, je suis trop niais pour t'offrir mon aide. Abasourdi, je te regarde t'avancer dans l'allée qui me paraît interminable. À mi-chemin, tu lâches tout et m'ouvres à ton tour les bras pour m'enlacer. Pendant de longues minutes, on reste là, sans dire un mot. Dans ma tête, c'est le vide, le néant. Je ne pense plus à rien. J'oublie tout ce que j'ai déjà été dans ma vie. Je ne suis plus personne. C'est si bon.

Nous nous abandonnons dans les bras l'un de l'autre. Après quelques minutes, Gérard nous ramène à l'ordre d'un grognement.

— Pardon de vous interrompre. Loin de moi l'idée de gâcher un si beau moment, monsieur, mais nous devrons y aller bientôt, malheureusement. Nous avons un arrêt à faire chez l'antiquaire et vous ne voudriez pas rater votre vol.

Gérard a tellement de classe, c'est impossible de lui en vouloir. Malgré la douceur de tes bras et le sentiment de bien-être qu'ils me procurent, je fais preuve de délicatesse à mon tour et ramasse tes valises pour les caser dans le coffre, plein à craquer.

— Vous avez raison, Gérard. On y va !

4

Ma peau n'a même pas le temps de ramollir que je ferme le robinet de l'immense douche de marbre qui pourrait facilement me servir de chambre à coucher. Je ne chantonnerai pas en me savonnant aujourd'hui. Le brouillard qui a envahi la pièce est si dense que j'ai peine à voir où je mets les pieds. À tâtons, j'empoigne une serviette et je me sèche le plus rapidement possible. D'une main, je retiens la serviette que j'ai essayé d'attacher autour de ma taille en vain. De l'autre, j'essuie la buée dans la glace pour y voir plus clair. Un vif coup d'œil dans le miroir me fait remarquer que j'ai encore pris un peu de poids, à mon grand désespoir. Je devrais cesser les soupers arrosés du vendredi soir et me contenter de salade et de quelques brins de céleri. J'ai dû prendre quatre ou cinq livres en trois mois. Ma silhouette laisse apparaître un début de ventre.

Je regarde la balance, j'hésite, puis choisis de vivre dans le déni. Ce sera sans doute mieux ainsi.

Brusquement, je laisse tomber la serviette. J'aurai besoin de mes deux mains. Ma barbe de trois jours va attendre encore un peu. Dans toute ma nudité, je sors de la salle de bain du rez-de-chaussée, je longe le corridor à ma droite, je prends tout de même le temps de replacer le cadre abritant un des plus beaux portraits de ma mère et j'entre dans la chambre à coucher, où Anna dort encore depuis au moins sept heures. Je me demande si je ne devrais pas la retourner pour l'empêcher de faire des plaies de lit. Je choisis d'éviter la conversation matinale qui en découlerait. Je n'ai pas le temps pour ça.

En tâchant d'être silencieux pour ne pas interrompre son sommeil, j'ouvre les deux grandes portes du *walk-in* et la lumière aveuglante en jaillit instantanément. Qui a eu la brillante idée d'installer un œil magique dans une garde-robe?

Évidemment, je l'entends soupirer et se retourner bruyamment dans ses draps de satin, question de me faire sentir coupable de l'avoir réveillée. Il ne lui faudra pourtant que quelques secondes pour retourner au pays des merveilles. Je suis sauvé.

J'aperçois les centaines d'habits haute couture, repassés à la perfection et suspendus par couleurs. De gris pâle à gris foncé. Je ne suis visiblement pas le seul dans cette maison à avoir des troubles obsessionnels compulsifs. Chaque objet est rangé selon un ordre bien précis. Les nœuds papillon, les boutons de manchettes, les montres et les bretelles. Chaque chose est à sa place.

J'agrippe le premier complet qui me tombe sous la main. Je suis pressé, aujourd'hui. De toute façon, personne ne le remarquera. J'enfile une chemise rose pâle que je prends soin d'agencer avec la cravate en espérant qu'elle me donnera un semblant de teint basané, comme si je revenais tout juste de vacances – ce qui me ferait le plus grand bien d'ailleurs.

J'empoigne la vieille montre de gousset de mon grand-père. Elle a connu la Seconde Guerre mondiale. Elle me suit partout, comme un porte-bonheur. J'y jette un coup d'œil avant de la glisser à l'intérieur de ma poche. Je l'aime un peu moins, tout à coup. Elle me rappelle que je ne suis pas en avance, encore une fois.

Si je ne suis pas parti dans vingt-deux minutes tapantes, elle sera en rupture de stock.

Que voulez-vous que j'y fasse ? Tous les samedis matin, les gens se précipitent dans sa petite boutique au coin des rues St. John et Aylmer pour y prendre tout ce qu'elle a reçu de plus beau.

Dès qu'elle tourne la clé dans la serrure à 9 h 59, c'est la folie. Au début, ses premiers arrivages se vendaient tellement vite que je n'avais pas le temps de choisir quoi que ce soit. Je me suis résigné trop souvent à acheter un petit bouquet de fleurs un peu fanées qui n'avait pas trouvé preneur pendant la semaine.

En bon samaritain, je me sacrifiais.

Heureusement que la propriétaire me connaît maintenant. Si elle ne m'aperçoit pas par la fenêtre au moment d'ouvrir la boutique, elle me réservera un de ses plus beaux bouquets, qu'elle assemblera soigneusement. Même si je préfère le faire moi-même, c'est mieux que rien. Elle a une bonne idée de mes goûts, après tout ce temps, Rose.

Je l'appelle la «dame des fleurs». Elle est tellement vieille que ses os la supplient de s'asseoir toutes les dix minutes.

À tout moment, pendant une conversation, elle tourne le dos et se laisse tomber de tout son poids dans le fauteuil le plus proche. Malgré cela, elle insiste pour continuer à travailler. Elle s'occupe de ses trésors comme s'il s'agissait des enfants qu'elle n'a jamais eus. Du moins, c'est ce que je crois. Ce qui compte pour elle, ce sont ses fleurs et ses deux perruches.

Ce matin, on ne voit ni ciel ni terre. Un vrai temps de chien. Contrairement aux samedis précédents, personne n'attend en file indienne au comptoir pour dévaliser la vieille dame. J'aurai l'embarras du choix.

— Bonjour, Rose.

— Bonjour, Grégoire.

Elle fait partie des rares personnes qui m'appellent par mon vrai prénom, et non par le diminutif. Ma mère serait contente ! Elle détestait qu'on me rebaptise.

— Ce sera deux oiseaux du paradis pour moi aujourd'hui, s'il vous plaît.

Elle se retourne. Elle fait quelques pas vers le fond de la boutique. Je croyais qu'elle allait exécuter mes désirs. Non. Elle choisit la petite chaise de bois et s'assoit.

— Je suis désolée… Il ne m'en reste plus.

Tout ce que je vois autour de moi dégage beaucoup d'oxygène, c'est vrai, mais cela pousse dans des pots. Pas un seul client à l'horizon.

— Ah non ? Pourtant, on est en début de journée et la boutique est vide.

Elle se lève. Ses vieux os se lamentent en grinçant. Elle s'avance à deux doigts de mon visage. Son haleine de tabac mélangée à l'odeur du café me rappelle que c'est exactement ce qui me ferait le plus grand bien en ce moment. Sa voix est si rauque que, si l'on fermait les yeux, jamais on ne pourrait imaginer qu'elle provient d'une femme aussi petite et aussi délicate.

— C'est un homme, désespéré. Il est passé quelques minutes avant vous et il a tout pris ! Je n'ai même pas eu le temps de vous mettre quoi que ce soit de côté. À mon âge, vous savez ce que c'est, Grégoire. Le corps ne va pas aussi vite qu'on le voudrait et ma mémoire commence à faire défaut.

— Est-ce qu'il est encore ici ?

— Non…

Je m'étais déjà préparé à le convaincre. Connaissant mon pouvoir de négociation, j'aurais pu lui échanger ses fleurs contre n'importe quoi ! Je me serais rué sur celui qui a osé prendre les vingt-cinq fleurs que Rose avait commandées pour la fin de semaine, en prenant bien soin de sortir mon portefeuille de façon ostentatoire.

Je savais déjà comment je l'aurais abordé.

« Bonjour, monsieur, je vous offre cent dollars pour une seule de vos fleurs, qui finiront par se faner de toute façon. » Ou encore : « Hé, comment allez-vous ce matin ? Hon, mais ce sont des oiseaux du paradis ? Les préférées de ma petite fille. Dommage qu'il n'en reste plus, elle sera déçue. »

— Je prendrai les plus belles qu'il vous reste alors.

— J'ai des lys blancs.

— Parfait, merci, Rose.

Les restants sont pas mal du tout. Je lui tends tout de même un billet de cinquante dollars, en guise de remerciement. Après tout, ce n'est pas sa faute. Elle ne m'a jamais déçu en six mois. Je l'ai connue alors que je cherchais le plus beau bouquet.

On n'achète pas des fleurs seulement pour les occasions heureuses.

Ce jour-là, il pleuvait à boire debout.

C'était un samedi après-midi. Je venais d'apprendre que ma mère, la femme de ma vie et celle qui me l'a donnée, avait fait une violente chute à l'extérieur de sa maison. Chez elle, l'escalier en fer forgé qui descend jusqu'en bordure de rue est rempli de fleurs qu'elle entretient avec amour et passion.

Il y en a pour tous les goûts. De tous les parfums et de toutes les couleurs. À la fin de l'été, on a du mal à voir les marches tellement elles en sont ensevelies. Ce jour-là, alors qu'elle bravait le déluge pour recouvrir ses jardinières, elle a perdu pied et est tombée la tête la première sur le pavé. C'est la voisine qui a alerté les ambulanciers.

Pendant que ceux-ci s'empressaient d'arriver au 4250, rue des Jonquilles, la maison qui m'a vu grandir, ma mère gisait là, inconsciente sur le sol. Elle est maintenant clouée au lit de la chambre 422, dans un coma profond. Avec le temps, elle est devenue une résidente permanente. Sur la porte, on peut apercevoir une affiche sur laquelle ils ont écrit son nom, en lettres moulées. MARGUERITE PORTER.

Ma belle maman…

C'est toujours la même histoire. Impossible de savoir quoi que ce soit. Elle y sera pour un temps indéterminé, selon les médecins. Ils ne peuvent jamais m'en dire davantage sur son état. Je vis dans l'espoir de la retrouver, comme avant cet accident bête.

Marguerite…

Avec un tel prénom, elle était prédestinée à être une amoureuse des fleurs.

Depuis sa chute, je lui apporte un bouquet chaque fin de semaine. C'est ce qui la garde en vie, je pense! Sa chambre en est remplie. Elle les aimait tant. Cela camoufle les odeurs infectes de maladie qui flottent sur l'étage.

Je passe les quelques heures autorisées avec elle, au quatrième étage du St. John's Hospital. Je lui raconte tout! Même si elle le pouvait, elle n'arriverait pas à placer un mot lorsque je suis à ses côtés. J'ai tellement de choses à lui dire ! J'accumule à longueur de semaine. Quand arrive le samedi, j'ai besoin de parler, de me vider le cœur et l'esprit. Je sais qu'elle m'entend et qu'elle ne me jugerait jamais. C'est la seule qui me connaît vraiment, au fond. Je refuse de croire qu'elle pourrait ne jamais sortir de son sommeil. C'est inconcevable. On la maintient en vie artificiellement, comme ces roses que l'on suspend la tête en bas, dans la noirceur d'un placard, pour qu'elles sèchent et restent avec nous un peu plus longtemps. Elles se fanent, tranquillement, au fil du temps.

Je n'aurai jamais la mauvaise surprise d'arriver et que la chambre soit pleine à craquer de monde venu la voir. Je suis la seule famille qui lui reste. Mon géniteur l'a abandonnée alors qu'elle me portait.

Allongé auprès d'elle, je lui parle de toi, « Patricia ». Elle n'aura peut-être jamais la chance de te rencontrer ou de te voir.

Même si je sais que cela risquerait de la décevoir, je lui parle d'Anna et de notre relation qui se ternit de plus en plus. Elle l'aimait tellement.

Le jour de notre mariage, elle a passé de longues minutes assise devant la petite coiffeuse de sa chambre, à brosser ses cheveux et à discuter avec elle pour la rassurer et la convaincre qu'elle avait pris la bonne décision et que c'était normal d'être nerveuse.

Elle s'est occupée d'Anna comme s'il s'agissait de sa propre fille.

Elle trouvait injuste ce qui lui était arrivé après la mort de ses parents, décédés dans un accident de voiture alors qu'elle n'avait que douze ans. Elle et ses deux grandes sœurs de quatorze et quinze ans avaient alors été envoyées dans trois foyers d'accueil différents. Elles se sont perdues de vue pendant de longues années. Aujourd'hui, elles sont inséparables. Pas une seule journée ne passe sans qu'elles se soient parlé au téléphone pendant des heures. Elles se racontent absolument tout! Elles rattrapent le temps qui les a éloignées l'une de l'autre.

Anna, Amy et Amber. Je les appelle «les trois A».

Ma mère s'était donné pour mission de prendre soin de ma femme.

Aujourd'hui, à l'aube de ses soixante-quinze ans, elle se retrouve inconsciente, sur son lit d'hôpital. Le sable s'est figé tout à coup dans le sablier. Si elle s'en sort, elle aura à jamais une ou deux saisons de retard. Ses cheveux, eux, n'ont pourtant pas cessé de blanchir.

Qui prendra soin de ses fleurs lorsque le temps doux reviendra?

Quand je suis avec elle, je lui répète sans cesse: «Je ne cesse de penser à toi. En pleine nuit, je rêve que tes beaux yeux verts s'ouvrent et me regardent. J'ai tellement l'impression de tourner en rond. Je suis dans un cul-de-sac en ce moment. Une impasse. J'ai beau me demander comment tu agirais à ma place, je ne trouve aucune réponse. Comme j'aimerais entendre ta voix, ne serait-ce qu'une seule fois!»

Puis, la cloche qui résonne dans le grand corridor interrompt ma conversation à sens unique. Elle joue un air familier qui me restera en tête toute la semaine. Cet air-là, ma mère me le chantait si souvent. *Edelweiss...*

Quand j'étais plus jeune, je le trouvais magnifique. Aujourd'hui, il est prophète de malheur pour moi. Il m'annonce que les visites seront bientôt terminées. Comme un gamin, je sèche mes larmes avec la manche de mon veston. Je profite des quelques minutes qui me restent à ses côtés. Ma main serre la sienne de plus en plus fort. Je suis désormais un enfant qui a besoin de sa mère plus que jamais. J'attendrai jusqu'à la dernière minute. Jusqu'à ce qu'un préposé en stage vienne me montrer la sortie.

Le sablier se déverse rapidement, encore et encore. Je n'aurai donc jamais assez de temps... En longeant le corridor, je regarde dans chacune des chambres que je croise. À gauche et à droite. J'y aperçois des familles qui s'embrassent et se disent au revoir. Ça me brise le cœur de ne plus pouvoir entendre la voix douce et tendre de ma mère. L'ascenseur met une éternité avant d'atteindre le quatrième étage. La fin des visites signifie l'heure de pointe pour le seul ascenseur qui dessert le centre hospitalier au grand complet. Je choisis de descendre par l'escalier. Ce sera préférable pour ma claustrophobie. Je m'arrête un instant devant la pouponnière. J'observe les mamans, heureuses mais fatiguées d'avoir travaillé si fort pour donner la vie. Un dernier étage et j'aurai rejoint le sou-terrain où se trouve ma voiture. Le cœur lourd, je reprends le chemin de la maison en souhai-tant une bonne semaine à Steven, qui s'occupe de récolter les vingt-deux dollars que je lui dois pour payer mes frais de stationnement.

Les kilomètres défilent un à un sans même que je m'en aperçoive. On devra bientôt m'enlever mon permis de conduire. Je suis en train de devenir un danger public. Mon téléphone me ramène sur terre. J'ai rendez-vous dans vingt minutes. Moi qui croyais avoir du temps aujourd'hui.

Patricia : Salut, bel inconnu !

Moi : Comment vas-tu ?

Patricia : Bien ! Je viens tout juste de terminer un tableau que j'avais commencé il y a des semaines ! Toi, que fais-tu de ton week-end ?

Moi : Un tableau ? Tu joues aux jeux vidéo ?

Patricia : Hahaha ! Non... Je peins !

Moi : Ah ! Excuse-moi...
Je suis un peu troublé.
Je reviens tout juste de l'hôpital
et je suis en retard à un
autre rendez-vous. Journée
assez mouvementée, disons...

Patricia : Tu es malade ?

Moi : Pas tout à fait... C'est
ma mère. Je te raconterai.
Je dois te laisser. On
peut s'écrire plus tard ?

Patricia : Si tu veux !

Moi : J'aimerais bien. ☺ À bientôt !

Mon sourire en dit long sur l'état d'apesanteur dans lequel je me trouve. Je devrais mettre des poids dans mes chaussures pour ne pas m'envoler.

Je n'ai rien à envier au premier homme qui a marché sur la Lune, oh non !

Je sais exactement comment il a pu se sentir quand est venu le temps de planter son drapeau dans ce lieu inhabité.

Tu as choisi la destination. Un aller simple par-dessus le marché.

On ne sait pas trop combien de temps nous aurons là-bas. Pour certains, cela pourrait paraître déstabilisant. Pour moi, c'est le rêve ultime. Le grand départ viendra, mais on ignore quand.

Gérard s'élance sur ta portière pour l'ouvrir, machinalement. C'est normal, puisque c'est son travail. Mais toi, tu mérites qu'on le fasse par galanterie.

— Laissez, Gérard. Je m'en occupe.

J'ouvre ta portière, et tu me souris radieusement. Tes dents, d'un blanc éclatant, tes lèvres si attirantes et ton regard profond comme l'océan me charment aussitôt. J'y plonge un bref instant, je m'y perds.

— Prenez place, madame !

— Comme c'est aimable, monsieur !

Le cœur battant, les yeux dans l'eau, nous voilà prêts pour le grand départ vers l'infini. Côte à côte sur la banquette arrière de la voiture, nous entreprenons notre voyage ! Rien ne nous arrêtera, maintenant. Heureux et incertains de ce que l'avenir aura à nous offrir, nous nous laissons guider par le temps.

Je lance un petit regard à Gérard, qui m'observe dans le rétroviseur. Il comprend tout de suite ce que cela signifie. Nous pouvons partir.

5

Dans le stationnement du centre médical, je remarque qu'une place vient tout juste de se libérer à droite de la rampe pour handicapés qui mène à l'entrée principale. Je devrais acheter un billet de loterie. En temps normal, ma voiture est si loin qu'on m'offre un service de navette pour me ramener jusqu'à la porte de la clinique.

Ce n'est qu'un petit examen de routine, mais cela n'en demeure pas moins stressant. Je ne me sens pas bien depuis un certain temps. Je suis beaucoup plus fatigué qu'à mon habitude. Pour moi, une visite chez le médecin, c'est comme aller à la messe. On y va de temps en temps pour faire une mise à jour, question de se déculpabiliser. Mon médecin n'est pas fier. Chaque fois que j'entre dans son bureau, j'ai droit aux remontrances. Ça, c'est quand je réussis à patienter jusqu'à ce que ce soit mon tour.

Il ne faut pas que je m'arrête à calculer le temps que je perdrai dans la salle d'attente de la clinique aujourd'hui. J'ai agrippé mon ordinateur portable et mon sablier avant de quitter la maison ce matin. J'ai beaucoup trop de choses à faire. Je veux clore le dossier de M. et Mme Clark avant la semaine prochaine. J'ai l'impression d'être dans le coup depuis des années. J'ai un rendez-vous avec eux lundi matin, à la première heure. Ce ne sera pas joli. Je ne peux pas me permettre de m'arrêter, ne serait-ce qu'un petit instant.

Je dois être le seul être humain qui rencontre son médecin pour un probable épuisement professionnel et qui traîne son boulot jusque dans la salle d'attente.

Ma mère me dirait : « Aide-toi, et le ciel t'aidera. »

M'aider… Je ne fais que ça. Par ailleurs, ce n'est pas comme si j'avais le choix. Si je ne travaille pas en dehors des heures de bureau, c'est le temps que je passe à discuter avec toi qui sera hypothéqué. Hors de question. Je travaillerai toutes les nuits s'il le faut !

Ils ont effectué des travaux majeurs depuis ma dernière visite à la clinique. J'ai failli faire demi-tour en arrivant. Je croyais m'être trompé d'endroit. Ils ont refait le vestibule, repeint les murs et changé la configuration de la réception.

Enfin ! Une seconde vie, ça ne peut pas nuire. Cela aura servi à camoufler l'odeur infecte des bottes mouillées qui nous sautait au nez dès l'entrée.

Je me rends tranquillement vers la réception-niste pour la féliciter des travaux et pour donner le temps à mon cerveau de me souvenir de son prénom. Pourtant, elle travaille ici depuis le début. Elle semble un peu blasée, d'ailleurs. Derrière son bureau, enseveli sous les dossiers des patients de la journée, elle mâche sa gomme à s'en décrocher la mâchoire.

Pour que je visite le médecin, il faut vraiment que ce soit urgent. Comme aujourd'hui. Si je ne ferme pas l'œil bientôt, je ne survivrai pas à l'hiver. J'avance en secouant mes bottes, en jetant un coup d'œil vers la salle d'attente, qui n'a pas été repeinte, malheureusement. Je constate que je ne suis pas le seul à être affecté par l'hiver rude et long. Il y a plus de monde ici qu'à l'épicerie le dimanche après-midi!

— Bonjour, Karine.

J'allais l'appeler Martine. Le badge qu'elle porte sur son sein gauche vient de me sauver la vie.

— Monsieur Porter, on vous attendait plus tôt!

— Je sais, j'ai quelques minutes de retard, veuillez m'excuser. Est-ce que le Dr Savard peut tout de même me recevoir?

Je lui remets ma carte d'assurance maladie et le petit papier chiffonné indiquant les détails de ma convocation.

— Quelques minutes? On vous attendait il y a une heure. Veuillez vous asseoir, s'il vous plaît. Il vous verra sous peu.

Je sais très bien ce que cela signifie, « sous peu ». La dernière fois, j'ai bien failli y passer ma vie. J'ai eu le temps d'autoguérir mon rhume et d'en contracter un deuxième avant de rencontrer le médecin. En entrant dans son bureau, j'avais oublié pourquoi j'allais le consulter, au juste.

La salle d'attente est bondée de monde et de microbes. C'est le temps de la grippe. Suis-je le seul à avoir appris à tousser dans le creux de mon coude? Un seul siège est disponible. C'est moins compliqué dans ce temps-là. Je déteste avoir l'embarras du choix. On perd du temps à prendre des décisions comme celle-là.

J'espère que mon voisin de gauche sera le prochain convoqué. Il a la mort sur le visage. Juste de l'autre côté, à ma droite, un petit homme d'à peine six ou sept ans me fixe sans cesse. Il est fiévreux et mal en point, lui aussi. Son regard creux et ses yeux rougis me transpercent.

— Comment t'appelles-tu?

Aussitôt, ses yeux se plongent dans la bande dessinée que son père vient tout juste de lui glisser brusquement entre les mains. Comme si je lui avais fait peur.

— Veux-tu me dire ton prénom?

Ses parents lui ont sûrement appris à ne pas parler aux étrangers. Un long silence plane entre la fin de ma question et le son de sa petite voix frêle, que j'entends finalement.

— Jérémie.

— Enchanté alors! Je m'appelle Grégoire. Mais pour un ami comme toi, je ferai exception. Tu peux m'appeler Greg.

Son prénom est la seule information que j'ai été capable de lui soutirer. Sans succès, je lui ai demandé s'il avait des frères ou des sœurs. Je n'ai même pas pu savoir pourquoi il venait voir le médecin. Je m'en doute bien, mais j'essayais simplement de le faire parler. Il m'espionne du coin de l'œil. Je vois qu'il est impressionné par mon ordinateur.

— Tu sais, quand j'avais ton âge, les ordinateurs portables n'étaient pas encore inventés. J'avais des bandes dessinées, moi aussi. Comme toi! Et je jouais dehors tous les soirs…

— …

— Est-ce que tu aimes jouer dehors?

— …

— J'avais une bicyclette rouge et bleu que ma mère m'avait donnée à mon septième anniversaire. Au moment de souffler mes bougies, j'avais le cœur gros comme la terre. Je croyais que je n'avais pas de cadeau. Je ne voyais aucun paquet autour de moi. Lorsqu'elle m'a pris par la main et qu'elle m'a emmené dehors pour découvrir mon vélo, j'étais fou de joie.

— …

— Est-ce que tu as un vélo, toi?

Il fait signe que non. Je suis un imbécile. Il va sortir du bureau du médecin en demandant à son père pourquoi il n'a pas de vélo, alors que tous ses amis en ont. Son père devra probablement lui répondre que c'est parce qu'il a du mal à rapporter assez d'argent pour nourrir la famille. Il aura le cœur brisé par ma faute. J'essaie de limiter les dégâts.

— À bien y penser, je n'avais pas ton âge du tout. J'étais adolescent quand j'ai eu ma première bicyclette. À ton âge, j'avais des bandes dessinées…

Ses yeux me parlent. Il ne me croit pas. Je m'enlise. Moi qui pensais avoir la cote avec les enfants.

Après mon échec flagrant, nous replongeons instantanément dans nos univers respectifs. Lui, dans sa bande dessinée, et moi, dans mes courriels, jusqu'à ce qu'un son strident résonne des haut-parleurs et me sorte de mes colonnes de chiffres. Je regarde l'heure sur mon ordinateur. Cela fera bientôt une heure que je suis là ! Pour une fois, je ne peux pas dire que j'ai trouvé le temps long ! Jérémie me tient bien compagnie.

Autour de moi, personne ne semble avoir bougé d'un poil, à part le père du petit Jérémie, et mon voisin de gauche qui fait le va-et-vient entre son siège et le siège des toilettes. Une gastro, par-dessus le marché.

Un cas lourd a dû retenir le Dr Savard dans son bureau depuis tout ce temps ! Il ne sera pas de bonne humeur. Cela signifie qu'il devra partir très tard ce soir.

Une patiente sort du bureau du médecin, suivi de celui-ci, qui tient un dossier si épais qu'il a du mal à le porter d'une seule main. C'est Mme Brown. J'aurais dû m'en douter. Elle doit avoir un abonnement hebdomadaire ici. C'est la pire hypocondriaque que je connaisse. Il m'a suffi d'une seule conversation avec elle pour me rendre compte qu'elle avait eu toutes les maladies du monde. C'est à croire que le Bon Dieu fait des tests sur elle, comme si elle était un rat de laboratoire. Elle se dirige droit vers moi pour récupérer son manteau accroché au mur, au fond de la salle d'attente.

Elle me fait bien rire.

— Bonjour, madame Brown. Ça ne va pas, aujourd'hui ?

— Ne m'en parle pas. J'ai attrapé une de ces bactéries qu'on voit juste en Chine.

— Ah oui ? Vous y êtes allée ?

— Non, j'ai mangé au buffet chinois au coin de ma rue la semaine passée. Il est fermé depuis deux jours pour insalubrité. C'est sûr que c'est pour ça.

— Vous m'en voyez désolé. Quels sont les symptômes ?

— La liste serait trop longue à énumérer. Le médecin lui-même ne sait pas ce que c'est.

Elle s'approche de moi pour me parler au creux de l'oreille.

— Entre vous et moi, ce n'est pas le plus compétent en ville.

J'acquiesce d'un signe de tête, même si je suis conscient que le Dr Savard ne peut pas donner un diagnostic à quelqu'un qui n'est pas malade.

— Passez une belle journée, madame Brown. Allez vous reposer un peu.

Tout le monde sursaute quand une voix résonne dans la salle d'attente, qui s'apparente de plus en plus à un refuge pour animaux sur le point d'être conduits à l'abattoir. Comme je semble être le moins amoché des bovins, peut-être m'épargnera-t-on, cette fois. Avec un peu de chance, je repartirai d'ici sur mes deux pattes.

« Monsieur Porter, salle trois, s'il vous plaît ! Monsieur Porter, salle trois. »

Il n'y a toujours eu qu'un seul bureau ici. Je me demande encore pourquoi ils l'appellent la salle trois. Je me lève en me disant que ce n'est pas trop tôt ! Je me demande si je devrais parler de mes problèmes de sommeil au médecin ou du mal de dos que leur maudite chaise droite m'a causé. Je pense que c'est de l'arnaque. On nous enferme dans un endroit restreint bourré de microbes pendant des heures dans le but de nous rendre malades. On entre pour un rhume de cerveau et on ressort avec un lumbago. Une autre belle façon pour les compagnies pharmaceutiques de s'en mettre plein les poches.

Ankylosé, je boite en direction de la fameuse salle trois. Je me sens faiblir à chaque pas. Quelle maladie ai-je pu contracter ici ? Je pense que Mme Brown commence à déteindre sur moi. Je me désinfecte les mains pour diminuer les risques de progression du virus. Je me retiens pour ne pas prendre une bonne gorgée du liquide antibactérien.

En croisant la réceptionniste, je m'arrête et me retourne pour jeter un coup d'œil au petit Jérémie, qui me regarde m'éloigner, les yeux flottant au-dessus de sa BD.

Celui qui semble être son père est au téléphone depuis leur arrivée. Il fait les cent pas à travers la salle d'attente, comme s'il se préparait pour un marathon.

Je sais que je ne serai pas longtemps dans le bureau du médecin. Ce n'est jamais long quand vient notre tour. Mais je n'ai soudainement plus envie d'y aller. Pas tout de suite.

— Pardon, Martine ?

— C'est Karine...

J'aurais dû regarder le badge...

— Est-ce possible d'inverser deux rendez-vous, s'il vous plaît ?

— Que voulez-vous dire ?

— Voyez-vous le garçon là-bas ?

— Jérémie ?

— Oui. Est-ce que vous pourriez inverser nos dossiers et lui faire voir le médecin tout de suite ? Je suis sûr que son père en serait très heureux. Il pourrait lâcher son foutu téléphone et s'occuper de son fils un peu...

— Laissez-moi vérifier.

À peine une minute plus tard, sa voix énervante rectifie le tir.

« Jérémie Ross et Martin Duval, salle trois, s'il vous plaît ! Jérémie Ross et Martin Duval, salle trois. »

Le fait qu'ils n'aient pas le même nom de famille me laisse croire qu'ils ne sont peut-être pas père et fils, finalement. Quoique cela ne veuille rien dire. Je porte bien le nom de jeune fille de ma mère, moi, pas celui de mon père.

L'homme décolle son téléphone de son oreille. Il n'a même pas entendu la convocation. Il regarde Karine, qui lui montre la porte du bureau d'un geste déterminé. Avant qu'il s'élance pour attraper la poignée de porte du cabinet du Dr Savard, j'accoste l'homme qui n'a pas encore lâché son téléphone pour tenter d'en savoir plus. Il me lance un regard aussi percutant qu'un poids lourd. Visiblement, il veut que je me mêle de mes affaires. Il se fiche carrément du fait que je lui aie permis de partir d'ici plus tôt.

— Vous avez un beau petit garçon, monsieur Duval!

Son air exaspéré me laisse perplexe. Il enchaîne aussitôt.

— Ce n'est pas mon fils. Je lui cherche une famille depuis une heure au téléphone. Vous êtes intéressé?

Je ne connais pas les circonstances qui ont amené cet homme à s'occuper de cet enfant, mais la façon cavalière qu'il a eue de me répondre, en traînant Jérémie par la main, m'a indigné. Il est petit et inoffensif, et cet homme parle comme si l'enfant ne comprenait pas.

Je ne peux m'empêcher de rétorquer:

— Il a la grippe, il n'est pas sourd, vous savez!

Je sors mon portefeuille de ma poche. Il s'insulte. Il croit que je veux lui offrir de l'argent. Je ne lui donne pas le temps de dire quoi que ce soit.

— Si je peux faire quelque chose, voici ma carte!

Imbécile que je suis. Je n'ai pas su faire mieux. Je me comporte comme s'il s'agissait d'un client que j'étais susceptible de pouvoir sortir d'une faillite personnelle. Pauvre enfant. L'argent n'achète pas tout, mais je prends quand même un billet de dix dollars et je m'agenouille à côté de Jérémie.

— Fais ça comme un grand et tu demanderas qu'on te laisse au dépanneur du coin en sortant.

Il me sourit et se lance sur moi pour me faire une accolade qui vaut tout l'or du monde. L'homme s'impatiente et le prend par le bras pour le tirer dans le bureau du médecin, en oubliant de me remercier de lui avoir laissé mon tour. Quel idiot !

Je retourne m'asseoir sur ma chaise droite. Je serai probablement ici pour une bonne heure encore. Mais je n'en ai rien à foutre. Même mes courriels ne me disent plus rien. Quand il s'agit d'un enfant, je deviens tout à l'envers. Ce n'est pas que j'aie eu une enfance difficile, au contraire. J'ai eu la plus extraordinaire des mamans. Mon père, lui, je ne l'ai pas connu, alors… il ne m'a pas manqué.

Ce Jérémie, peut-être n'a-t-il pas mangé depuis des jours. On dit qu'il est préférable d'apprendre à quelqu'un à pêcher plutôt que de lui donner un poisson. Je passe mon temps à me dire que j'aurais dû l'emmener au restaurant au lieu de lui donner dix dollars, qu'il dépensera sûrement en friandises. C'est normal, c'est un enfant. Ce sera impossible pour lui de reprendre des forces avec quelques morceaux de chocolat et des gâteries.

Quinze minutes plus tard, ils ressortent du bureau en claquant la porte. L'homme marche rapidement et l'enfant avance au pas de course, encore tiré par la main, derrière lui. Ils filent tous deux vers la porte de sortie.

Je n'ai pas le temps de faire quoi que ce soit… Je ne peux que lui adresser un petit signe de la main, qu'il n'a même pas la force de me retourner. Par la fenêtre, je les vois s'éloigner entre les voitures. Ils n'ont pas eu autant de chance que moi. Ils sont complètement au fond du stationnement. Le petit semble flotter dans les airs tellement il est incapable de suivre la cadence effrénée de cet insouciant. Il me regarde, l'air de dire : « Je vous en prie, monsieur, venez me chercher. » J'ai l'impression d'assister à une scène de film. Comment peut-on travailler auprès des enfants et ne pas se soucier davantage de leur bien-être ? Si je réussis à le retracer, je m'en plaindrai jusqu'à ma mort.

Je crie à l'injustice. Cet enfant est sans défense. Je ne peux pas croire qu'il est seul au monde. Qu'est-ce qui a bien pu arriver à ses parents ?

Je n'ai plus envie de rencontrer le médecin pour mes petits problèmes de fatigue accumulée. Je n'ai plus le goût de me plaindre, soudainement. Je voudrais simplement prendre soin de l'orphelin. Lorsque mon nom résonne à travers la salle d'attente, presque trois heures après mon arrivée en ces lieux, je me lève, j'hésite puis je me dirige tout droit vers la porte de sortie. Ce sera pour un autre jour.

Je crois même ne pas être en état de conduire. Cette journée m'a complètement vidé. J'empoigne mon téléphone et j'appelle Gérard pour qu'il vienne me chercher.

En route vers la maison, je réalise que demain, c'est dimanche, la veille d'une autre semaine interminable, alors que je n'aurai même pas vu passer le week-end. Le temps est de plus en plus lourd à supporter. Le pont Champlain me semble sans fin. Heureusement que tu es au bout de ton téléphone!

Moi : Tu ne devineras jamais ce que je viens de vivre. Je croyais avoir rencontré mon lot d'imbéciles dans ma vie...

Patricia : Que se passe-t-il?

Moi : Je sors tout droit du bureau du médecin. J'y ai croisé un petit garçon. J'aurais voulu l'adopter.

Patricia : Qui est l'imbécile dans tout ça?

Moi : L'homme qui s'affairait à lui trouver une famille. Pathétique, comme scène.

Patricia : Tu as pu faire quelque chose ?

Moi : Malheureusement pas. Il a pris la fuite avant que j'aie eu le temps de dire quoi que ce soit.

Patricia : Pauvre toi... Tu sembles bouleversé. Tu as un grand cœur...

Moi : Je n'ai jamais eu d'enfant, mais j'aurais bien aimé. Je ne comprends pas ceux qui ont la chance d'en avoir et qui ne veulent pas en prendre soin.

Patricia : Tu ne connais pas les circonstances, peut-être que ses parents ne peuvent pas s'en occuper parce qu'ils sont malades.

Moi : Je sais bien... Bon ! J'arrive à la maison. Je suis épuisé. Je m'en vais au lit, directement. Bonne nuit !

Patricia : Repose-toi... Tu as eu une grosse journée. xxx

Les immenses points d'interrogation dans les yeux de Gérard me font douter de moi. Avec la mauvaise habitude que j'ai de ne jamais vérifier mes affaires deux fois avant de partir, je me demande si j'ai noté la bonne adresse. Pourtant, je suis venu ici il n'y a pas si longtemps, mais la mémoire est une faculté qui oublie. Il me semble que l'endroit n'avait pas l'air aussi délabré la dernière fois. On dirait qu'un incendie a fait rage tout autour, laissant vacants tous les commerces qui se trouvaient dans le périmètre. Il ne reste qu'une vieille cabane de tôle rouillée, qui semble abandonnée.

— Selon mes notes, je crois bien qu'on y est, monsieur.

En regardant comme il faut, j'aperçois l'enseigne métallique sur laquelle on peut difficilement lire « Le marchand de sable ».

— Attendez-moi un instant, je reviens tout de suite.

Je sors et me dirige vers l'arrière de la voiture. Je fais un signe de la main à Gérard pour qu'il *déverrouille le coffre. Je l'ouvre pour récupérer le paquet contenant le fameux sablier. Je le rapporte là d'où il vient, comme prévu.*

En arrivant devant le commerce, je cogne pour qu'on m'ouvre. Comme je n'obtiens aucune réponse, je pousse la vieille porte en fer forgé qui grince comme de vieux os sous le poids des années.

Une clochette, installée juste au-dessus de celle-ci, tinte aussitôt. Un parfum m'assaille, me faisant reculer d'un pas. En reprenant mon souffle, j'entre et je referme rapidement la porte derrière moi pour ne pas alerter le voisinage. En quelques secondes, la fumée blanche qui occupe la pièce me brûle les yeux.

Une forte odeur d'encens se mélange à celle de journaux qui se consument tranquillement. Au fond de la pièce, à travers la boucane, le vieil homme semble endormi. Il ne se rend nullement compte qu'il est sur le point de foutre le feu au bâtiment. À sa gauche, sur la petite table en bois, j'ai juste le temps de remarquer un vieux journal datant de 1960, mon année de naissance, dévoré par un bâton de fumigation tombé de son porte-encens. En avançant, je heurte mon front contre un encensoir suspendu au plafond et encerclé de capteurs de rêves. Je me fraie difficilement un chemin.

Instinctivement, j'enlève mon veston Hugo Boss flambant neuf puis l'utilise pour stopper la propagation des flammes. En sursautant, le vieux fou sort de son sommeil profond, à cause duquel il aurait bien pu être incinéré vivant.

— Vous allez brûler tout le quartier ! Si je n'étais pas passé, c'est vous qui y passiez !

Il est vêtu d'un pantalon brun et d'une che-mise trouée faite d'un tissu ressemblant à du jute. Ses cheveux sales et sa barbe jaunie témoignent du nombre d'heures qu'il passe à l'intérieur de son bazar. Je crois même qu'il vit ici.

Sa respiration, forte et saccadée, me donne l'impression qu'il va manquer d'air à tout moment. Sa voix quasi éteinte de vieux sage, aussi grave que celle d'un baryton, se fait entendre.

— Monsieur Porter. Que me vaut l'honneur de votre visite ?

La mémoire du vieil homme me laisse stupéfait.

— Comment vous souvenez-vous de mon nom ?

— Je vous attendais, monsieur Porter, je vous attendais…

— Heureusement ! Vous seriez mort, brûlé vif.

— Ne soyez pas bête. J'étais seulement en train de réduire de vieux journaux en cendres.

— À l'intérieur, comme ça, avec de l'encens ?

— La fumée qui se dégage de la sauge est pure, monsieur Porter. Aussi pure que les cendres d'une matière qui s'est consumée.

Je ne cherche pas à comprendre le sens de ses incantations et je n'ai pas le temps d'observer ses rituels. J'ai mieux à faire. On m'attend.

— Je suis venu vous rendre le sablier, comme prévu.

— Je sais. Je vous attendais, monsieur Porter, je vous attendais.

Je regarde autour pour découvrir où ce vieux fou peut bien cacher sa boule de cristal. Le devin me fixe droit dans les yeux. L'énergie qui flotte dans l'air est si puissante et si lourde. Un frisson me monte le long de la colonne vertébrale pour venir s'échouer au bas de ma nuque. Je dois quitter cet endroit le plus rapidement possible, avant d'y laisser ma peau.

— Je vous attendais, monsieur Porter, je vous attendais.

Il répète cette phrase en se berçant sur sa vieille chaise tel un aliéné. Je me demande même s'il n'est pas possédé par une quelconque entité. Je suis de moins en moins à l'aise, tout seul ici. Dans la pénombre de la pièce, à la lueur d'une chandelle, je prends mon courage à deux mains et me ressaisis.

— Est-ce que je peux y aller, maintenant ? On m'attend...

— Vous pouvez déposer votre paquet et tout ce qu'il contient sur la table se trouvant près de la porte d'entrée. Ensuite, vous pourrez partir en paix. Surtout, ne me remerciez pas.

— Merci. Euh... Je veux dire, au revoir.

Sur ces belles paroles, je me tais pour laisser le silence reprendre sa place dans l'atelier.

En murmurant quelque chose d'inaudible, le personnage de foire renverse l'immense sablier qui se trouve au-dessus de sa tête et referme les yeux. Il poursuit son rituel en faisant fi de ma présence. Avant d'étouffer, je me retourne pour sortir de ce lieu qui me donne la chair de poule, en prenant soin de ne pas regarder derrière moi.

— Bon voyage, monsieur Porter. Bon voyage!

J'abandonne mon veston taché par les cendres, et je dépose la boîte sur la table que l'homme m'a indiquée. En revenant à la voiture, je sens encore l'odeur nauséabonde dont mes vêtements sont désormais imprégnés. Comment a-t-il su que je partais en voyage? Je dois reprendre mes esprits et faire comme si rien de tout cela ne venait de se passer.

6

— Monsieur Porter?

— Oui?

— Les Clark sont là!

— Faites-les entrer.

Je me suis couché tôt hier, heureusement. Je
savais ce qui m'attendait aujourd'hui. En retournant mon sablier, je fixe l'embrasure de la porte
avant de voir apparaître le diable en personne.

— Patricia, est-ce que tu pourrais m'apporter
un autre café, s'il te plaît?

— Il est sur votre bureau, monsieur. Je vous en
ai apporté un il y a deux minutes.

— Je sais, il m'en faudra davantage.

D'une seule et grande gorgée, j'avale le restant
de café encore chaud qui traîne sur mon bureau.
Si je pouvais me l'envoyer directement dans les
veines, je le ferais.

Je crois que je traite le dossier depuis deux ans
et demi maintenant, et j'ai l'impression que cette
histoire ne finira jamais. C'est le cas typique du
roman d'amour qui se termine en cauchemar. Il y

a toujours un perdant quand un couple se sépare. Cette fois-ci, la princesse plumera son prince charmant. Il y a une vingtaine d'années, Michel Clark a hérité d'une flotte de camions, sur la Rive-Sud de Montréal, alors qu'il étudiait pour devenir médecin. Il avait vu son père travailler à la sueur de son front toute sa vie, mais en vivant toujours bien modestement, même pauvrement. Il ne voulait pas finir comme son défunt géniteur.

Or, ce qu'il croyait être un cadeau empoisonné s'était révélé être une véritable mine d'or. Les camions en question avaient rapporté quelques millions de dollars au père au fil des années. Ce dernier avait toujours nié le fait qu'il avait de l'argent dans le but de laisser un héritage à son fils unique, Michel.

Pas un seul placement. De l'argent qui avait fructifié à un taux d'intérêt modique, dans le compte de la petite entreprise. Le pauvre homme est décédé d'une crise cardiaque, au beau milieu d'un hiver rude, alors qu'il travaillait à la maintenance d'un de ses camions. Nul besoin de vous dire la stupéfaction de mon client lorsqu'il a reçu le chèque au moment de régler la succession.

M. Clark est quelqu'un d'intelligent! Il a fait quelques placements, abandonné ses études et fait fructifier la petite fortune. Sa vie venait de changer complètement… Au lieu d'accumuler des dettes d'études, il s'est retrouvé patron et unique propriétaire d'une flotte de camions valant des millions! Il a engagé des gens de confiance qui s'éreintent à sa place et qui sont très bien payés pour le faire.

Ensemble, nous avons établi un plan de développement et organisé sa fortune. Un parcours sans fautes pour ce qui est de la multiplication des pains. La pire gaffe qu'il a faite, selon moi, c'est d'avoir un jour dit « Oui, je le veux » à cette garce.

Jennifer Jones, de son nom de jeune fille. Comment la décrire ? Superficielle descendante d'une riche famille bourgeoise, les cheveux blond platine, le décolleté plongeant et les ongles si longs qu'elle a du mal à ouvrir une porte. De toute façon, c'est le genre de chose qu'elle ne fait pas elle-même, elle est au-dessus de ça ! Elle aura bientôt quarante ans et s'habille comme si elle en avait dix-sept. Ses chandails trop courts laissent apparaître le petit diamant qu'elle porte au nombril, emblème de professionnalisme.

Le classique.

Lui travaille comme un fou, très tard et chaque soir.

Elle reste à la maison pour s'occuper des repas.

Il lui offre tout ce qu'elle veut, pour ne pas la perdre.

Elle profite de ses journées pour remplir la carte de crédit de son mari d'achats de vêtements, de manucures et de pédicures.

Lui n'en dit mot.

Elle conduit une Mustang décapotable rouge, qu'il lui a donnée pour se déculpabiliser de travailler comme un fou.

Elle s'ennuie.

Il ne peut rien y faire.

Elle décide de coucher avec son meilleur ami.

Il ne veut pas céder la moitié de sa fortune.

Elle veut à tout prix en arracher sa part, qu'elle qualifie de «juste».

Moi, je dois rester neutre dans le dossier, mais j'ai quand même un léger parti pris pour lui.

Elle est complètement folle…

— Monsieur et madame Clark, comment allez-vous?

Question stupide… Il ne faut que deux secondes pour que les obscénités fusent de toute part. Je remarque la repousse de madame, qui témoigne du fait que monsieur lui a coupé les vivres depuis un certain temps.

Peu de couples sont capables de divorcer en se comportant comme des adultes. Encore moins y parviennent quand il est question de beaucoup d'argent. Les Clark ont passé plus de dix ans ensemble et, maintenant, ils ne supportent même plus de respirer le même air. Cette rencontre est notre dernière. Je n'en peux plus. Devant mon immense bureau, les deux anciens amants se pulvérisent à tour de rôle. Adieu les belles années. C'est comme si rien de tout ça n'avait existé.

Il devra payer. Ce n'est pas comme s'il avait le choix, de toute façon. Ensuite, ils pourront s'arracher les cheveux, jusqu'au dernier, s'ils le veulent!

Ce n'est pas facile, je le comprends. Mais je ne suis pas spécialiste en relations de couple, moi.

Je suis le pauvre comptable qui a innocemment accepté de m'occuper des affaires de la compagnie de Clark, il y a quinze ans. À cela est venue s'ajouter l'épouse. Et qui prend mari prend… la maison, le bateau, le chalet et le fonds de pension.

En attendant la fin de l'orage, je joue au psychologue. Peut-être que je me suis trompé de vocation, au fond. Ce n'était pourtant pas écrit « toutes autres tâches connexes » dans mon contrat.

Le sablier semble me narguer. Le temps file et tu me manques, Honey45. Même si j'imagine que je pourrais finir dans la même situation que ces deux énergumènes si j'osais aller plus loin. Du coin de l'œil, j'observe mon téléphone cellulaire. Je décide de l'allumer en cachette, sous mon bureau, en attendant que le feu de forêt qui fait rage devant moi s'éteigne enfin.

Moi : Es-tu là ?

Patricia : Oui !

Moi : J'avais envie de te parler.

Patricia : Je pensais à toi justement.

Moi : Ah oui ?

Patricia : Cela te surprend ?
Je pense souvent à toi, tu sais…

Moi : Que fais-tu en ce moment ?

Patricia : Je regarde un documentaire
sur Bali à la télévision.
Cet endroit me fascine. Toi ?

Moi : Un peu moins captivant. Je suis
avec des clients qui sont sur le point
de s'entretuer devant mon bureau.
J'assiste au massacre avec le grand
sourire, puisque je te parle.

Patricia : Je te fais sourire ?

Moi : ☺
Tu ne trouves pas cela étrange qu'on
ne se soit jamais dit nos noms ? Tu
n'as aucune idée à quoi je ressemble.
Je pourrais être un psychopathe,
tu sais ! Ta mère ne t'a jamais dit de
ne pas parler aux étrangers ? ☺

Patricia : Et si c'était moi, la psychopathe ?

Moi : Cela expliquerait bien des choses, au moins.

Patricia : Tes clients ne sont pas turbulents...

Moi : Au contraire. Ils sont en train de démolir mon bureau. Le sang gicle sur les murs. L'histoire de divorce commune de deux personnes hors du commun.

Patricia : Je ne peux pas te dire mon prénom, malheureusement.

Moi : Pourquoi cela ?

Patricia : À cause de mon travail...

Moi : Tu travailles pour la police ?

Patricia : Je n'irais pas jusqu'à dire cela.

Moi : J'aime ta façon de détourner mes questions. Tu peux me demander ce que tu veux. Je suis un grand livre ouvert.

Patricia : Ce que je veux ?

Moi : Ce que tu veux !

Patricia : As-tu déjà été marié ?

Aïe !

Je reçois sa question en plein visage. Je m'y attendais. Je me demandais simplement combien de temps nous laisserions passer avant d'avoir ce genre de discussion. C'était inévitable. Le problème, dans tout ça, c'est le moment qu'elle a choisi pour poser la question. Elle a attendu que je m'attache. Maintenant, elle sait qu'elle me fait sourire chaque fois qu'elle m'envoie un message. J'ai osé le lui dire.

Si elle m'avait posé cette question à la deuxième discussion, j'aurais menti sans vergogne. Elle est vicieuse et ratoureuse. J'ai soudainement l'impression de me tenir à pieds joints sur le bord d'un précipice. Soit je reste en haut avec le vertige, soit je respire, je saute et j'apprécie les quelques secondes d'apesanteur et le sentiment exceptionnel que cela procure. Si je ne saute pas, je ne le connaîtrai jamais.

Je relève les yeux un instant pour voir si M. Clark a encore toutes ses dents. Oui. Le concerto de guerre se poursuit, mais ne m'atteint plus. Je change de dossier.

Je me demande quel serait le montant du chèque que j'aurais à remettre à Anna si je décidais de changer de vie demain matin. Je fais un calcul rapide. J'additionne mon compte en banque à la totalité de mes avoirs et je divise le tout par… deux.

Le cellulaire en main, je choisis de retarder la chute libre. Je prends une grande respiration et continue à assister au spectacle. La consultation de quarante-cinq minutes tire à sa fin, comme le sable en témoigne. Bientôt, ils auront quitté mon cabinet une bonne fois pour toutes. Cela n'aura pas été simple, mais M. Clark aura fini par céder la moitié de ses biens à celle qui aura choisi de changer de vie et de partir avec son meilleur ami. Il aura payé cher pour être un jour tombé amoureux du diable.

— Vous avez terminé, monsieur ?

— Oui, merci, Gérard. On peut partir.

Tandis que nous roulons vers l'aéroport, ta main serre la mienne si fort, comme si elle avait peur de la laisser s'échapper. Cela n'arrivera pas. Maintenant que je t'ai, je te garde ! On jurerait que tu sens l'angoisse au fond de mes yeux, que tu sais lire en moi. C'est étrange puisque, de toute ma vie, personne n'y est encore parvenu. Toi seule as réussi à briser ce mur de brique immense que j'ai dû ériger au fil des années pour me protéger de tout. Nous nous regardons pendant de longues minutes. Je ne détourne pas les yeux, je n'ai plus envie de fuir. La réalité est belle, et l'avenir se dessine doucement.

Je n'arrive pas à croire que sous peu on pourra enfin être seuls ensemble, à l'autre bout de la terre. Seuls en terre inconnue.

Tout à coup, les feux rouges ne me font plus aucun effet. On peut rester immobiles tout le temps qu'il faudra et je ne dirai pas un mot.

L'inconnu ne me fait plus peur. Je ne sais même pas où tu m'emmènes. Tu as préparé tous les détails de notre périple. Il ne me reste qu'à m'abandonner à toi, à me laisser guider docilement. L'endroit m'importe peu. Tout ce qui compte, c'est que je sois avec toi.

Pendant de longues minutes, je prête l'oreille à chacune de tes paroles, sans perdre une seule lueur dans tes yeux, qui en ont aussi long à raconter. Ils me parlent de cette vie que je ne connais malheureusement pas encore. Ils me confient l'enfance que tu as vécue, qui est loin d'être banale, et les épreuves que tu as dû surmonter pour peu à peu te reconstruire. Les yeux humides, je comprends tout maintenant.

Il y a tant de choses qu'on ne s'est jamais dites dans les nombreuses conversations qu'on a eues…

De son côté, Gérard s'impatiente.

L'autoroute menant à l'aéroport international Pierre-Elliott-Trudeau est complètement congestionnée. À 13 heures, l'heure de pointe s'est déjà installée. Les travaux qui sont en cours depuis des mois bloquent une bonne partie des bretelles de sortie, ce qui cause le débordement.

Heureusement qu'on a prévu beaucoup plus de temps qu'il n'en fallait.

— Ne vous en faites pas, Gérard, notre vol est à 17 heures seulement. On a tout le temps qu'il faut. On y est presque.

— Bien, monsieur.

Les yeux encore humides après toutes les confidences que tu m'as livrées, tu appuies ta tête contre moi, en quête d'un peu de réconfort.

Je caresse doucement tes cheveux en te parlant de mon enfance, qui a été un peu plus heureuse que la tienne. Lentement, au son de cette histoire qui est la mienne, tu t'endors sur mon épaule. Ce que je n'ai jamais dit à personne, je te l'expose sans aucune pudeur.

Je me sens bien. J'essaie d'ancrer ce moment au plus profond de ma mémoire, d'en retenir les moindres détails. La couleur de ton chandail, l'odeur de tes cheveux, le temps qu'il fait, l'heure qu'il est, la chanson qui passe à la radio… Ces petits riens que je n'ai jamais voulu voir auparavant.

À mon grand désarroi, la circulation reprend. Dans quelques minutes, nous serons arrivés au terminal et je devrai te réveiller. J'aurais aimé pouvoir figer le temps, un instant. Si on avait la capacité de le faire, je crois que je resterais ici, devant la porte numéro trois de l'aéroport. Je n'ai besoin de rien d'autre pour être heureux.

Au bruit d'un avion qui décolle vers on ne sait où, je frôle ta joue pour te sortir du sommeil.

— Ça y est, nous y sommes.

— Excuse-moi, je me suis assoupie.

94

J'emplis mes poumons de l'air de Montréal pour la dernière fois, puis j'agrippe un chariot à bagages. Dans quelques heures, nous serons au-dessus des nuages, en direction du paradis.

7

J'ouvre mon GPS, comme si j'en avais encore besoin après tout ce temps. Je pourrais y aller les yeux fermés, à reculons tellement mon passage en ces lieux est fréquent. Imperceptiblement, j'y laisse mon fonds de pension.

J'appuie sur «Destinations récentes» en sachant très bien qu'elle sera la première, tout en haut de la liste. Entre les lieux de réunions et la boutique de Mme Rose se trouve le 1045, rue Saint-Charles. C'est la rue des âmes en peine.

La Taverne Morneau m'aura vu vieillir au fil des années. Elle m'aura appauvri et rendu vulnérable. C'est quand même un lieu mythique à Montréal, reconnu pour ses divertissantes séances de karaoké du samedi, sa diversité en matière de boissons, ses bagarres de fin de soirée, la crasse de son comptoir-bar et l'odeur particulière de ses salles de toilettes décrépites. Malgré tout, cela demeure l'endroit par excellence pour accueillir les complets fripés de fin de journée et les rendez-vous entre présidents de compagnie corrompus et leurs secrétaires particulières. Tous les vices sont permis entre ces murs. Il ne manque que les profession-nelles de la danse du poteau.

Je suis en retard d'une vingtaine de minutes. Pourtant, personne ne m'attend. Je suis en retard sur mes habitudes. Encore des ennuis au bureau avec Lucas… J'espère que mon stationnement, celui dans la ruelle, derrière l'établissement, sera encore disponible à mon arrivée. Si le gros Marleau est passé avant moi, je suis foutu. Je devrai me garer devant, dans la rue, mettre une alarme sur mon téléphone et sortir vers 18 heures pour déplacer ma voiture de l'autre côté de celle-ci. Je déteste avoir à faire ça. La plupart du temps, je préfère payer la contraven-tion plutôt que d'abandonner mon cognac sur le comptoir.

Je diminue ma vitesse de quatorze kilomètres-heure, le temps de passer devant le poste de police de quartier.

Dans tes dents, le gros Marleau ! Je viens de m'éviter une contravention. Le stationnement privé de M. Porter est disponible. Il ne manque plus que le service de voiturier. Il ne faut quand même pas trop en demander. Plus j'approche de l'établissement, plus je remarque l'odeur d'urine qui s'en dégage. C'est pire que d'habitude. Un problème de refoulement d'égout, j'imagine. Le barman a pourtant dit qu'il réglerait la situation au plus vite ! Avec les ordures qui empestent la ruelle, on obtient tout un mélange. C'est insupportable, mais pas assez pour m'empêcher d'y pénétrer.

Je reconnais de loin les derrières de tête que j'aperçois au bar. Ce n'est pas que j'aie une bonne vue. C'est qu'ils sont ici à longueur de journée. Toujours assis dans le même ordre, par-dessus le marché. Après toutes ces années à travailler comme un fou, je n'ai pas encore trouvé la clé du succès, il faut croire. Ils ne travaillent pas, eux, et peuvent tout de même se permettre de boire toute la journée.

Sur le bras du gouvernement, probablement.

Le premier à gauche, à la casquette bleue, c'est Andrew. C'est le plus matinal. Il est là chaque jour, dès que le barman ouvre les portes vers 8 heures, et il y reste jusqu'à ce que sa femme se pointe un peu avant minuit pour lui crier de rentrer. Est-ce qu'on appelle cela de l'amour inconditionnel? J'en doute. Une forme de pitié, peut-être…

À sa droite, c'est Stéphane. Lui, il nie son problème de boisson en permanence. Il attend toujours qu'on ait le dos tourné pour se commander une autre bière. Parfois même deux à la fois, lorsqu'il a le champ libre parce que ses amis sont allés pisser ou griller une cigarette. Il finit toujours la soirée avec une facture de soixante dollars et plus, même s'il n'a jamais bu plus que trois bières, selon ses dires. Je croyais savoir compter pourtant.

Le siège suivant appartient à Gilles. On dira bien ce qu'on voudra, lui, c'est un bon gars. Il passe ses journées entières à la taverne pour siroter le café au goût toxique qu'on lui sert. C'est un vieux garçon dans la cinquantaine. Il se change les idées comme il le peut en venant tirer aux poignets ici. Jamais il ne laisserait qui que ce soit quitter l'endroit au volant de sa voiture s'il a trop bu. Il préfère faire le tour de la ville à des heures impossibles pour reconduire quiconque en a besoin.

C'est le seul qui soit capable d'endurer son voisin immédiat, Bernard. Dans un trou comme ici, il y a toujours quelqu'un qui parle plus fort que les autres. À la taverne, c'est lui.

Il parle sans cesse sans que personne puisse placer un seul mot. En l'écoutant, on comprend très vite qu'il n'a pas de problème d'estime de lui. Il a son opinion sur tout, mais surtout, il détient la vérité absolue.

Le prochain sur la liste, c'est le gros Marleau. Le voleur de stationnement.

Ici, le privilège de garer ta voiture dans la ruelle arrière dépend du montant de pourboire que tu remets au serveur en sortant. Marleau, il a relativement beaucoup d'argent. Je le sais, c'est moi qui m'occupe de ses finances. Il a dû laisser sa voiture à la maison aujourd'hui. De nature généreuse, il a déjà commencé à soûler tout le monde avec ses tournées de tequila.

Et, il y a moi...

Il faut vraiment qu'un événement grave survienne pour qu'un de ces hommes manque à l'appel. Une chicane de gars soûls qui a mal viré ou quelque chose de pire encore. Les lendemains de veille ne les atteignent même plus. Ils sont immunisés contre le mal de tête et la gueule de bois.

Gary, le barman, m'attend avec un air inquiet, ma bière dans une main et deux onces de cognac dans l'autre. J'aimerais croire qu'il se préoccupe de moi, Grégoire Porter, mais non, ce sont les cent dollars de pourboire que je lui tends chaque fois que je sors de cet endroit miteux qui lui importent. Rien n'a changé depuis la semaine dernière. Encore et toujours cette odeur de lendemain de veille. Celle que je porte le vendredi matin quand je ne sais pas me contrôler.

On a eu une bonne semaine au bureau. Les chiffres démontrent une augmentation de trois pour cent du chiffre d'affaires aux deux tiers du premier trimestre, ce qui est au-delà de toutes les attentes. Je me suis permis un petit bonus. Il faut bien se gâter, parfois.

En avançant de quelques pas vers le comptoir où j'ai moi aussi mon siège attitré, je la regarde.

Elle est encore ici, après tout ce temps… Comme moi d'ailleurs. Cette semaine encore, elle me fixe, me dévisage. C'est toujours la même histoire. Je la remarque en entrant, lui jette un coup d'œil furtif. Il est déjà trop tard. Elle a toute mon attention. Je lui appartiens.

Je m'assois au bar afin de discuter avec Gary, que je connais depuis des années. À l'ordre du jour, les mêmes sujets redondants. Il me parle de sa femme, qui est à la maison avec leurs quatre enfants en bas âge. Il se plaint de son salaire de crève-la-faim. Il gagne à peine de quoi acheter des couches pour le petit dernier. J'ai simplement envie de lui répondre qu'il fallait y penser avant de faire quatre enfants en cinq ans.

Mon cœur balance. Devrais-je lui lire un article sur la vasectomie ou lui montrer la machine distributrice de préservatifs, sur le mur à ma droite? Je me tais. C'est quand même un vieil ami. Pendant qu'il continue à me raconter sa vie, question d'assurer son pourboire, je me retourne et l'aperçois de nouveau.

Ce n'est pas l'envie qui manque…

Je ne sais pas ce qui me retient. Ce n'est pas compliqué avec elle. Aucune discussion. Du simple divertissement. J'insère un billet de vingt dollars, puis deux… puis une dizaine.

Sans aucun préliminaire.

Je ne suis pas un joueur compulsif. J'ai seulement besoin de me changer les idées. Et cette machine le fait à merveille. En tant que comptable, je sais très bien que je perds au change à tout coup. Mais, assis sur un banc devant elle, je ne pense plus à rien.

Soudainement, je reprends le contrôle sur ma dépendance lorsque Gary me dit qu'il doit acheter des vêtements à sa petite Madeleine, qui aura bientôt cinq ans et qui commencera l'école dans quelques mois. La réalité revient au galop. Si je fais un calcul rapide, j'ai déjà dépensé l'équivalent de son salaire annuel cette année en jeux de hasard. C'est sûrement pour cela que je lui tends un billet de cent dollars chaque fois que je quitte les lieux.

Pour me déculpabiliser un peu. Pendant que je termine ma bière et mon cognac, en pauvre indécis, un homme trébuche derrière moi et s'agrippe à mon épaule pour éviter la chute. C'est une bien belle façon d'aborder quelqu'un. Cela commence mal une relation.

Je me retourne et ferme un œil pour mieux distinguer le visage de celui qui vient de m'empoigner le veston. Ça sent la tequila à plein nez. Les verres vides roulent sur le comptoir. L'homme a remarqué le banc vacant du gros Marleau, qui vient tout juste de sortir pour emplir ses poumons de goudron. Avec un peu de concentration, je dessine tranquillement les traits de son profil familier.

On est au bord de la catastrophe.

— Lucas ?

Je n'ai jamais parlé de cette taverne au bureau. Comme si je voulais la garder juste pour moi. Je m'imagine déjà le pire. Je suis trop vieux pour m'habituer à un autre endroit, mais je devrai le faire si tous mes employés se mettent à débarquer ici chaque jeudi soir.

Cela annoncerait la fin de La Taverne Morneau pour moi.

Il tire le tabouret juste à côté de moi et, sans aucune formule de politesse, il balance à Gary : « Un double. »

Gary lui tend son verre. Au reflet des néons, on peut percevoir un cerne sur les parois de celui-ci et la trace des lèvres d'un ancien propriétaire, ce qui me lève le cœur au plus haut point. En buvant mon cognac, je ne veux pas avoir l'impression d'être en train d'apposer mes lèvres sur celles d'un camionneur bedonnant, à la barbe jaunie par la cigarette qu'il tient dans son bec à longueur de journée.

Lucas semble s'en foutre.

Il avale d'un coup sec les deux onces d'alcool qu'on vient de lui servir.

Aussitôt son verre vidé, il en commande un second, d'un seul signe de la main, comme le font les habitués de l'endroit.

Serait-ce que je ne l'avais jamais remarqué avant? Impossible...

Nous sommes tous des piliers de bar, ici, mais pas lui... Pendant des minutes qui me paraissent interminables, nous continuons à faire semblant de rien, même si nous venons de passer la journée ensemble au bureau. Les yeux vides, Lucas fixe le mur rempli de bouteilles d'alcool qui sert de toile de fond à Gary.

— Grégoire Porter en personne! s'exclame-t-il.

— Je ne m'attendais pas à te voir ici.

— Pourtant... j'y suis!

En temps normal, son arrogance m'aurait agressé. Jamais je ne laisserais un employé me parler sur ce ton. Mais je garde mon calme.

— Tu connais bien cet endroit?

— Il m'appartient.

Je me sens floué. Je croyais que cette taverne appartenait à une femme. Comment moi, Greg Porter, ai-je pu me faire prendre à ce point, comme un sale débutant?

— Depuis longtemps?

C'est tout ce que je trouve d'intelligent à dire.

En fait, le but de la question est de découvrir ce qu'il connaît réellement de moi. De mon problème d'alcool, de jeu… La paranoïa reprend de plus belle. Il sait probablement tout de moi. Il ne me répond pas tout de suite. Il est habile.

Son silence me rend fou. Les mains tremblantes, j'agrippe mon verre et j'en bois le contenu d'un trait, à mon tour.

— Depuis longtemps?

Ma question semble l'assommer. Son silence annonce le pire. Je lui offre un cognac pour essayer de l'acheter. Les yeux luisants, il finit par marmonner quelques mots quasi inaudibles.

— Je ne savais pas que tu avais fait un investissement de la sorte, dis-je. C'est rentable?

— C'est tout nouveau, et je ne l'ai pas choisi.

Je suis peut-être sauvé. Je relâche mon souffle, tout d'un coup.

— Nouveau?

— Depuis hier…

— C'est un beau projet?

Encore un silence de mort. Je ne comprends pas. Ce n'est pas le Lucas que je connais, celui qui veut tout savoir et qui tergiverse sans cesse.

— C'est un beau projet, non? Tu n'es pas excité plus que ça?

— Pas vraiment, non…

Encore perplexe de la conversation que je suis en train d'avoir, j'oublie la sueur qui perle sur mon front lorsque je vois une larme couler sur sa joue, puis sur son menton, juste avant de plonger dans son ballon de cognac.

Je suis le pire être humain dans ce genre de situation. Lucas n'a pas choisi le bon siège. Je ne sais vraiment pas quoi dire…

Il finit par me raconter que sa femme était propriétaire de l'établissement depuis des années. Elle avait acheté l'endroit alors qu'elle venait tout juste d'avoir dix-huit ans. Elle est passée de petite fille à femme d'affaires. Sa destinée semblait toute tracée. Elle a embauché Gary, qu'elle avait rencontré aux funérailles de son défunt père. Il travaillait comme embaumeur, à l'époque. Il détestait côtoyer la mort de si près, chaque jour. Il a préféré servir des alcooliques qui mentent sur leur état, prétextant le besoin de se changer les idées, comme moi.

— Tu as acheté la taverne de ta femme ? Vous êtes sur le point de rompre ?

Et le silence retombe, encore une fois. Le temps qu'il récidive en avalant d'un coup sec, avec une grimace, sa dernière gorgée de cognac.

Il se lève et enfile son manteau du mieux qu'il le peut. Je ne pensais pas qu'un homme pouvait atteindre ce niveau d'ébriété en trente minutes. Je présume qu'il a commencé à boire bien avant d'arriver ici.

Juste avant de me quitter, il me regarde droit dans les yeux…

Son regard est vide. Je crois alors l'entendre bafouiller :

— J'aurai besoin de deux jours de congé la semaine prochaine…

Incertain d'avoir compris tout ce qui vient de se passer, je me retourne pour lancer un coup d'œil interrogatif à Gary.

— Tu le connaissais ?

— C'est la première fois que je le vois ici, mais je savais que c'était le conjoint de la patronne.

— Et qu'est-ce qu'elle est devenue ?

— Raide morte.

J'ai vu Lucas au bureau toute la semaine et tout semblait normal. Du moins, je n'ai pas remarqué de changement de comportement majeur.

— Qu'est-ce qui s'est passé ?

— Un suicide…

Encore étourdi par la nouvelle et tout ce qui l'a précédée, je me lève, mets mon manteau et tends mon traditionnel billet de cent au barman.

— … Peux-tu appeler Gérard, s'il te plaît ?

— C'est la première fois de toute ma vie que je prends l'avion. Je suis tout excitée !

— Tu verras, ce sera tranquille. C'est comme prendre l'autobus, sans les embouteillages.

— Je n'ai aucune idée à quelle guérite on doit aller. C'est immense ici.

— Montre-moi la réservation.

— Non ! Je vais m'informer. Je veux te garder la surprise jusqu'à la fin !

Tu prends tes aises en te dirigeant vers le kiosque d'information. Je te regarde écouter les directives que l'homme en uniforme te donne. Puis, d'un geste de la main, tu me fais signe de te suivre.

On marche en direction du comptoir que l'homme t'a indiqué.

Delta Airlines. J'essaie de deviner le type de voyage que tu nous as planifié. J'hésite entre la formule « tout inclus » dans le Sud et la croisière dans les Caraïbes.

— Veux-tu bien me dire où on s'en va ?

— *Patience, Greg. Tu auras tes billets en main dans moins d'une demi-heure.*

— *Mes billets ?*

— *Ne pose pas de questions !*

La file est longue. Autour, il y a des gens de toutes les ethnies. Rien qui pourrait me donner le moindre indice sur la destination qui nous attend. Nous parcourons les corridors puis arrivons devant la préposée de la compagnie aérienne, qui nous accueille avec un grand sourire.

— *Bonsoir ! Puis-je avoir vos passeports, s'il vous plaît ?*

Nerveusement, je fouille dans mon bagage à main à la recherche du document. On a eu tout le temps qu'il fallait pour se préparer, mais on était trop pris par nos conversations. Je finis par mettre la main sur la petite pochette en cuir brun contenant mes documents de voyage. Je lui tends mes papiers en tremblant.

La préposée, une femme assez âgée, sourit et me prend la main.

— *Calmez-vous, prenez votre temps !*

— *Je m'excuse. J'ai trop hâte d'avoir mes billets en main. Je n'ai aucune idée de la destination. C'est madame qui a tout prévu !*

— *Oh ! Quelle belle surprise. Vous allez adorer. En plus, c'est votre jour de chance. Je vais vous transférer en première classe pour votre première destination. L'avion n'est pas tout à fait plein.*

Le voyage ne pourrait pas mieux débuter. La gentille dame me remet non pas un, mais quatre billets d'avion, ce qui me fait comprendre que nous aurons un long voyage à faire.

— Alors, voilà ! Roulement de tambour… Première destination, New York. L'embarquement se fera à 16 h 18 à la porte 48.

— Jusqu'ici, tout va bien. Je connais l'aéroport JFK comme le fond de ma poche.

— Bien. Vous saurez quoi faire pendant les trois petites heures que vous aurez à tuer avant de repartir vers Tokyo.

Je te regarde du coin de l'œil et tu devines tout de suite que je m'imagine déjà en train de dormir sur le tapis souillé de l'aéroport, au Japon.

— Ne t'inquiète pas, j'ai tout prévu.

— Tu es géniale.

Voyant le temps avancer et la foule encore nombreuse, Marjolaine s'impatiente un peu.

— Puis-je continuer ?

— Oui, allez-y, pardon.

— Où en étais-je ? Bon ! De là, vous reprendrez l'avion en direction de Taïwan.

— Ce ne sont pas les escales qui m'intéressent, mais plutôt la destination finale.

— J'y arrive, monsieur Porter, soyez patient. De Taïwan, on vous amènera direct à… Bali !

Incroyable. Le déplacement en vaudra la peine. Tu as choisi, pour notre premier voyage, un des plus beaux endroits du monde.

— Tu es folle ! Bali ?

— Je ne suis pas folle. J'ai envie de passer le plus merveilleux moment à tes côtés.

Devant le comptoir, je t'embrasse longuement, jusqu'à ce que Marjolaine rapplique avec un sourire dans la voix.

— OK, les amoureux ! Je n'ai pas que ça à faire. Bon vol !

Main dans la main, nous nous dirigeons vers le poste de sécurité. Nous rions aux éclats devant l'agent un peu bête qui effectue le contrôle. Il procède à la fouille de mes bagages, juste avant de me fouiller, moi. Mes vêtements sentent encore l'encens. Je devrai faire un petit arrêt aux toilettes pour me changer. Je mettrai quelque chose de léger et confortable. Nous sommes partis pour un long voyage.

8

— Bonsoir, Gérard.

— Comment allez-vous, monsieur ?

— Comme chaque fois que je sors de cet endroit pourri. J'ai l'impression d'y avoir laissé ma peau.

— Alors, je vous ramène à la maison, monsieur ?

— S'il vous plaît.

— Je vous en prie !

Je sors vingt dollars de ma poche pour régler la course du chauffeur de taxi qui a amené Gérard jusqu'ici. Je ferai la même chose avec celui qui attend patiemment Gérard à la maison. Le retour est de plus en plus stressant d'une fois à l'autre. Bientôt, je frôlerai la crise cardiaque dès que ma voiture franchira les grandes portes en métal qui ornent l'immense clôture entourant ma demeure, délimitant ainsi mon domaine.

Je l'ai fait installer après m'être retrouvé nu devant un inconnu, par un beau matin d'été, un café dans une main et mon journal dans l'autre.

Pour se rafraîchir un peu, l'imbécile avait décidé de profiter quelques instants de la piscine qui venait tout juste de creuser un immense trou dans ma cour arrière ainsi que dans mon compte en banque… J'étais hors de moi. Dans toute ma nudité, je l'ai empoigné par les cheveux pour l'extirper de l'eau.

Cela m'a coûté soixante mille dollars de clôture et cinq mille dollars en frais d'avocats, puisqu'il a évidemment porté plainte contre moi pour lui avoir administré la raclée de sa vie. Mon poing et mon portefeuille s'en souviennent.

Le niveau de stress monte d'un cran. Gérard descend ma fenêtre pour que je puisse entrer le code qui déclenchera l'ouverture de la grille. Il est tellement à cheval sur les principes. Depuis le temps qu'on se connaît, il pourrait bien faire le code lui-même, mais il a toujours refusé que je lui révèle les quatre chiffres qui me permettent d'entrer chez moi. Cela m'aiderait pourtant. J'ai tellement la tête pleine quand je sors du bureau. J'ai du mal à me souvenir de mon numéro de téléphone.

Ma main tremble, j'accroche le deux en voulant appuyer sur le trois. Une lumière rouge m'indique que le code est incorrect. De gros flocons descendent tranquillement du ciel. Je me demande ce que tu fais en ce moment. Je m'évade dans mes pensées, jusqu'à ce que j'entende sa voix, dans l'interphone.

— Tu vas y passer la nuit ?

J'avais oublié le système de caméra, aussi… Elle me déverrouille la porte à distance, voyant bien mon incapacité à le faire moi-même, ce qui arrive presque à tout coup lorsque je rentre ainsi, avachi sur la banquette arrière de ma voiture.

Elle n'a pas l'air de bonne humeur. J'ai bien peur de n'avoir pas eu assez de temps pour me préparer à lui faire face.

Soudain, les doux flocons se changent en tempête! C'est le retour à la normale saisonnière.

Juste avant de remercier Gérard, j'aperçois le cadran lumineux indiquant 21 h 07. Je comprends alors l'humeur macabre de madame. Dans la maison, presque toutes les lumières sont éteintes. J'ai du mal à me rendre à la salle à manger sans me cogner contre les meubles se trouvant sur mon passage. Il sera difficile de nier que je reviens de la taverne.

En revanche, le fait que Lucas file un mauvais coton me donne quand même un argument de taille pour me défendre contre le démon, qui m'attend debout à côté de la table de l'immense salle à manger, où ne prennent place que deux personnes, en temps normal.

Ici, « en temps normal » signifie « pas souvent » puisque, en général, je soupe seul, avec un restant de bouteille de vin, ouverte la veille.

— Tu as passé une belle journée?

J'essaie de ne pas trop m'enfarger dans mes mots, pour éloigner tout soupçon:

— Épuisante. Lucas, le nouveau dont je t'ai parlé la semaine dernière, ne va pas très bien. Il m'a raconté qu'il est en instance de divorce. Il doit racheter la taverne de sa femme puisqu'elle n'a pas un sou et qu'elle risquerait de tout perdre. On est allés discuter de tout ça devant un bon café cognac.

Pourquoi ai-je menti?

La perplexité bien installée dans le fond de son œil, elle rebrousse chemin et se rend au fond du couloir qui mène à notre chambre. Je n'ai eu droit à aucune autre question, ce qui est insolite, vu la situation.

Sain et sauf, j'avale en vitesse mon risotto à la truffe, puis je verse mon verre de vin dans l'évier, incapable de prendre une gorgée de plus. J'essaie de ne pas trébucher dans l'escalier de bois franc qui mène au sous-sol, puis je m'enfonce au creux d'un fauteuil, devant mon écran géant, le temps qu'elle s'endorme.

Parfois, il m'arrive de me demander ce que serait ma vie sans elle et ce qu'elle pourrait être avec toi… Si je t'avais connue à l'époque où j'ai rencontré Anna, est-ce que je l'aurais épousée?

Moi: Je suis marié…

Patricia : Je vais bien et toi ?

Moi : Tu n'as pas compris ? Tu m'as demandé l'autre jour si j'avais déjà été marié. La réponse est oui, et je le suis encore !

Patricia : Je m'en doutais bien !

Moi : Cela ne te dérange pas ?

Patricia : J'aurais mis fin à nos conversations bien avant !

Moi : Je m'appelle Grégoire. Grégoire Porter. Je suis président d'une grosse firme comptable dans le centre-ville de Montréal.

Patricia : Enchantée alors !

Moi : Tu ne me parles pas de toi ?

Patricia : Je dois fermer mon téléphone, je n'ai pas dormi la nuit dernière. Bonne nuit, Grégoire. xxx

Moi : Tu vas me laisser comme ça ?

Moi : ??

Moi : ?

Elle ne peut pas me laisser comme ça, sur ma faim. Je viens de m'ouvrir, comme un grand livre. J'ai joué la carte de l'honnêteté. J'aurais pu lui mentir ou ne rien lui dire sur ma relation.

Encore tourmenté, je prends une chance. J'ouvre mon ordinateur portable pour me connecter. Elle n'est pas en ligne, comme toujours le soir. Sa dernière connexion remonte à un peu plus tôt dans la journée. On ne s'est pourtant pas parlé depuis un petit bout, sur le site de rencontres. Je suis soudainement fou de rage. Jaloux...

C'est peut-être ça, son petit jeu. Elle manipule les hommes comme elle le veut. Dès qu'ils s'attachent, elle les jette. Que ferait-elle sur ce site, sinon ?

Je ferme mon ordinateur. Je ne serai jamais capable de dormir comme ça. Je n'arrête pas de penser à elle. En fouillant dans mon téléphone, je retrouve le numéro d'un ami de longue date.

Moi: Dan, comment vas-tu? Je sais
qu'il est tard et qu'on ne s'est pas
vus depuis un bon moment...
J'aurais besoin de tes services
la semaine prochaine.
Pourrais-tu passer me voir
au bureau, s'il te plaît?

Montréal – New York

« *Dernier appel d'embarquement pour le vol Delta Airlines numéro 4078 à destination de New York. Tous les passagers devraient présentement être à bord. Ceci est un appel final. Je répète, ceci est un appel final.* »

Nous devons laisser nos verres de vin sur la table et filer. Nous poursuivrons plus tard.

On n'a pas vu le temps passer. Quelques minutes plus tard et l'avion décollait sans nous.

Nous courons vers le comptoir d'embarquement qui est aussi désert que le Sahara. La jeune demoiselle arborant les couleurs du transporteur aérien nous fait signe d'accélérer. En me voyant la main sur le cœur, elle comprend que je ne peux malheureusement pas aller plus vite que la machine dans laquelle je me trouve, mon corps.

— Heureusement que tu étais attentive à l'appel et que j'avais déjà réglé l'addition.

Essoufflés, nous montons à bord en essayant d'ignorer les regards intimidants provenant de tous les passagers qui sont fin prêts à décoller. Par chance, nos sièges sont situés à l'avant de la cabine. Je n'aurais pas voulu faire le chemin de croix jusqu'au fond de l'avion en recevant des coups d'œil haineux et des insultes de toute part.

Dans un vacarme assourdissant, le commandant referme la grande porte derrière nous et nous confine à l'intérieur. Automatiquement, la consigne de ceintures de sécurité s'allume.

— Pour ton premier vol, est-ce que tu préfères le hublot ou le couloir?

— Je crois que je vais prendre le couloir au cas où je devrais me rendre d'urgence aux toilettes. Si tout va bien, on pourra changer en cours de route. Le simple fait de grimper dans un escabeau pour changer une ampoule me donne le vertige. Je n'ose pas m'imaginer ce que ce sera à trente-cinq mille pieds.

— Tout ira bien, ne t'en fais pas. J'ai des cachets, si tu veux, cela pourrait t'aider à t'assoupir!

— Ça devrait aller, merci. Le vin m'a étourdie un peu.

Une voix retentit aussitôt.

«Mesdames et messieurs, puisque nos retardataires sont désormais arrivés, je vous souhaite la bienvenue à bord du vol 4078, à destination de New York. Mon nom est Calvin et

je serai votre agent de bord. Veuillez déposer vos bagages à main sous le siège devant vous et être attentifs aux consignes de sécurité qui suivent. »

— Tout pour nous mettre à l'aise. Tu parles d'une façon de recevoir des gens. Je vais me plaindre au commandant.

— Calme-toi, Greg. L'important, c'est que nous sommes enfin sur le point de partir.

Ce n'est plus un rêve maintenant. L'avion se place sur le tarmac, face à la piste.

Je prends ta main moite dans la mienne pour me faire rassurant. Sous ton poignet, je sens ton pouls qui s'accélère.

— Ferme tes yeux et laisse-toi porter. Des gens prennent l'avion tous les jours. C'est super sécuritaire. C'est prouvé qu'on a plus de risques de mourir dans un accident de voiture que dans un crash d'avion.

— Es-tu vraiment en train de me parler d'écrasement d'avion, à quelques secondes du décollage ? Ce n'est pas rassurant du tout, Greg.

— Excuse-moi.

En cachette, pour ne pas te stresser davantage, je fais un petit signe de croix, par habitude. Les moteurs ronronnent de plus en plus fort. Dans un élan et le bruit infernal qu'ils provoquent, on se rapproche peu à peu de celui qui t'a mise sur ma route, le Bon Dieu.

En un instant, on se retrouve dans les airs.

Tes yeux s'émerveillent devant l'immensité du paysage que nous survolons.

— On dirait une carte postale.

Les millions de petits points lumineux qui éclairent Montréal te tirent des larmes. Tu seras certainement encore plus éblouie lorsque tu voleras en plein jour et que tu apercevras l'irrésistible tapis d'ouate que forment les nuages.

— C'est magnifique. Je ne peux pas croire que je n'ai pas tenté l'expérience avant.

— Tu vois, je te l'avais bien dit.

Peu importe le temps qu'il me reste. C'est clair et précis. C'est avec toi que je veux le passer. Je ne sais pas ce qui me retient de te faire un enfant, sur-le-champ. J'ai envie de me lever et de crier au monde entier mon amour pour toi.

Au tour de mes yeux de devenir incontinents.

J'oublie que j'ai eu une vie de fou avant aujourd'hui et que j'ai des employés qui s'affairent au bon fonctionnement de mon cabinet pendant que moi, je m'envoie en l'air avec toi. Tout cela n'a plus aucune importance. Rien ne pourra plus jamais interférer entre nous.

— Regarde-nous, on a l'air de deux adolescents en cavale.

— Pourquoi pas ? Je ne vois aucun mal à cela. Même que j'y prends un malin plaisir !

En nous regardant, Calvin semble prêt à nous lancer des confettis plein les cheveux.

— Vous partez en lune de miel ?

Pour seule réponse, nous éclatons de rire.

— Est-ce que je peux vous offrir un verre de champagne ?

— Volontiers.

— Voilà pour vous, gracieuseté de la maison !

On porte un toast à la vie qui commence, à l'amour qui grandit et aux vacances qui débutent. En un rien de temps, nous survolons la Grosse Pomme. Telles des millions de petites chandelles allumées, les néons qui éclairent le ciel dans lequel nous flottons nous raniment.

On descend sur la piste.

En silence, je prie pour que l'atterrissage se fasse tout en douceur. Comme nous l'a expliqué Marjolaine en nous remettant nos billets, on aura un peu de temps à tuer à l'aéroport. À peine trois petites heures. C'est vite passé, en bonne compagnie.

Au moment de toucher terre, pour détendre l'atmosphère, je chante New York, New York, de Frank Sinatra, à tue-tête. Qu'est-ce que je ne ferais pas pour entendre ton rire encore une fois ?

9

En ouvrant les yeux, je m'empresse de regarder l'horloge sur le mur du fond. Il est 8 h 55, soit une heure trop tard. Au fond de mon gros fauteuil en cuir brun, la chemise et la braguette grandes ouvertes, j'ai l'impression de vivre le pire réveil que j'ai connu depuis longtemps. J'aurai besoin d'une bonne semaine pour m'en remettre, encore...

Les yeux vont me sortir de la tête. Encore étourdi par l'alcool, je me lève, avec peine, puisqu'on est vendredi et que je n'ai pas vraiment le choix. Après mûre réflexion, j'en arrive à la conclusion que je ne pourrai jamais avaler un nombre suffisant de cachets pour me débarrasser du mal de tête qui me martèle le cerveau. Après trois tentatives de levée du corps, entrecoupées de courtes pauses de trente secondes, je réussis enfin à me tenir debout et en équilibre. Je passe à un cheveu de mettre le pied sur mon ordinateur, déposé ou tombé au sol, je ne sais plus trop.

Je me souviens difficilement de la veille. L'escalier auquel je fais face semble avoir allongé pendant ma courte nuit de sommeil. Je devrai m'arrêter en plein milieu pour reprendre mon souffle.

Elle est déjà debout. Le vacarme qu'elle mène en cuisine me mitraille. Une odeur persistante de bacon un peu trop cuit a remplacé le parfum habituel de la maison. Je n'en mangerai pas un seul morceau. Pas ce matin, Anna.

Elle me demandera pourquoi et je lui dirai simplement que je dois faire attention à ma ligne, à l'âge que j'ai ! Elle est au courant de tout, pourtant. Je sens le cognac à plein nez et c'est Gérard qui m'a raccompagné à la maison, preuve de l'état comateux dans lequel je me trouvais hier.

Rien ne m'oblige à mentir, mais elle ne m'a jamais demandé la vérité.

Mon téléphone qui ne cesse de sonner va me rendre fou. J'ai une heure de retard au bureau, je le sais. Inutile de me le rappeler. Je demande à Patricia d'annuler les rendez-vous qu'il me reste avant midi et d'envoyer une carte et des chocolats à ceux qui se seront pointés pour rien ce matin. Cela n'arrive jamais, heureusement.

Avant de déposer ma grosse enveloppe corporelle crasseuse sous la douche, je regarde mes textos. Mon vieil ami Dan m'a répondu qu'il allait passer sans faute dans les prochains jours. Toi, tu ne m'as toujours pas répondu. Tout à coup, le sentiment de hargne me revient. J'espère que c'est parce que tu es encore au lit et que ton téléphone est fermé. C'est la seule raison que j'accepterais.

En passant devant le grand miroir de la salle de bain, je m'arrête un instant pour constater les dégâts. J'ai l'air d'un clochard. Une bonne douche froide est de mise.

Après avoir salué Anna, je me retrouve derrière le volant, en direction du bureau. Je devrai faire une escale sur ma route pour saluer Gisèle au dépanneur et me prendre un bon café noir, ce sera indispensable.

Au bureau, une odeur de cognac me pue au nez lorsque j'entre dans l'ascenseur. Lucas vient probablement tout juste d'en sortir.

— Bonjour, monsieur Porter.

J'attrape le courrier que Patricia me tend à bout de bras, derrière le comptoir de la réception.

— Je veux voir Lucas dans mon bureau, tout de suite !

En m'y rendant, je le distingue du coin de l'œil. La chemise un peu fripée, il est sagement assis à son poste de travail, café à la main. Visiblement, je ne suis pas le seul à avoir passé la nuit sur la corde à linge. Il porte exactement le même complet qu'il avait hier à la taverne.

Je le vois sursauter puis attraper le combiné de son téléphone. Patricia n'a pas perdu de temps. La convocation est rapide.

J'accélère le pas. Il ne faudrait tout de même pas qu'il arrive à mon bureau avant moi.

En entrant, j'attrape la manette du climatiseur pour abaisser la température de mon bureau. J'ai des chaleurs. Un restant d'alcool me sort par les pores de la peau.

Lucas se pointe quelques secondes plus tard. Il a à peine le temps de cogner que je lui ouvre moi-même la porte de mon bureau, ce qui l'inquiète un peu. Ce n'est pas dans mes habitudes. Normalement, je lui crierais d'entrer, d'une voix imposante.

— Monsieur Porter, murmure-t-il en regardant le plancher.

Un long silence le fait rougir d'un coup... Je perçois son envie de rebrousser chemin et d'aller tout de suite mettre ses affaires dans une boîte pour partir. Le congédier n'est pourtant pas mon intention. Je veux simplement poursuivre notre conversation de la veille.

— Fais-moi plaisir, Lucas.

Il lève les yeux pour la première fois depuis qu'il a mis les pieds dans l'arène.

— Appelle-moi Greg.

Je sens la tension descendre d'une bonne dizaine de crans.

— À nous deux, nous échouons à l'alcootest, c'est certain !

— À qui le dis-tu, Greg.

— J'ai tellement eu de difficulté à me lever ce matin, je commence à me faire trop vieux pour ce genre de chose.

Il baisse les yeux à nouveau avant de répliquer.

— Si seulement j'avais fermé l'œil...

Un silence profond s'installe.

Pour la première fois de ma vie, au risque de perdre toute crédibilité, je mets mon orgueil de patron de côté. On est là, tous les deux, dans l'embrasure de l'immense porte de mon bureau. Je l'invite à s'asseoir. Volontairement, je fais comme si Gary ne m'avait rien dit.

— Qu'est-ce qui ne va pas ? As-tu du mal à vivre ta séparation ?

— Si seulement c'était une simple séparation.

Ses yeux s'inondent instantanément.

Je ne suis pas sot, je sais que c'est quelque chose de plus grave. De trop grave pour un seul homme. Je veux simplement le faire parler. Il doit le faire.

— Elle est décédée…

Il ne m'apprend rien.

— C'est arrivé quand ?

— La semaine dernière, jeudi.

— Je peux te demander ce qui s'est passé ?

— Elle n'en pouvait plus…

— Je ne peux pas croire que tu t'es tout de même pointé au travail comme si de rien n'était.

Il renifle un bon coup. Je me lève et lui tends le mouchoir de soie qui orne la poche de mon veston.

— Ce n'est pas comme si j'avais le choix.

— Qu'est-ce que tu veux dire ?

— C'est plus compliqué que ça. Je t'épargne les détails. Quoi qu'il en soit, je devrai m'absenter lundi et mardi prochains, si tu n'en vois pas d'inconvénient. Mais je serai de retour le mercredi, c'est promis.

— Lucas…

Il soupire.

— Regarde-moi.

Il relève les yeux.

— Tu prends le temps qu'il te faut. Tu dois te remettre sur pied. C'est une grosse épreuve que tu traverses. La femme que tu aimais vient de s'enlever la vie. Tu reviendras quand tu t'en sentiras la force.

— J'ai besoin de travailler. Je n'arriverai pas à rembourser toutes nos dettes autrement.

— Je t'aiderai, ne t'en fais pas. Sache que ce que tu vis m'attriste au plus haut point. Je ne te laisserai pas tomber.

La respiration saccadée et les yeux humides, Lucas se lève et s'apprête à regagner son poste de travail. Nous avons parlé pendant une heure complète. Pour la première fois depuis longtemps, je n'ai pas regardé mon sablier. J'ai seulement vécu le moment présent. Il retourne vers son bureau, les épaules un peu plus hautes qu'à son arrivée. Ce n'est pas moi qui ai allégé le poids qui l'écrasait. Il avait simplement besoin de parler.

— Lucas?

Il me regarde.

— Va te reposer. Le travail attendra, je te jure. Ne t'en fais pas pour ton chèque, je m'en occupe. Pense un peu à toi et prends le temps de régler tes affaires. Tu dois reprendre des forces dans les prochains jours. Et si tu as besoin de quoi que ce soit, tu peux compter sur moi, mon ami. Tu sais où me trouver le jeudi soir maintenant. À la Taverne Morneau, après le travail. Si tu cherches quelqu'un pour s'occuper de tes finances, je me débrouille quand même bien !

— Mais, la réunion…

Je ne lui laisse pas le temps de terminer sa phrase.

— Va !

Il me décoche un sourire et me remercie d'un signe de la main en se dirigeant tout droit vers l'ascenseur.

Les heures passent et je ne peux m'empêcher de repenser à la scène.

Un peu avant 15 heures, je me rends dans l'immense salle de conférences où se tiendra la réunion hebdomadaire. En refermant la porte derrière moi, j'éprouve une envie irrépressible. Tout seul, au beau milieu de la pièce, je me mets à pleurer comme un enfant qui a besoin de sa mère. Un trop-plein d'émotions des derniers temps, sans doute.

Je reprends mes esprits lorsque la sonnerie de mon téléphone retentit pour annoncer 15 heures, moment de la réunion.

Au lieu de quitter l'endroit, j'accueille chacun des employés d'une poignée de main. À leur plus grand étonnement, j'ouvre moi-même la séance en les remerciant un à un, en leur manifestant ma gratitude pour le bon travail qu'ils accomplissent au sein de l'entreprise. Les premières minutes de la convocation me permettent de constater à quel point tout le monde ici a le bon fonctionnement de la compagnie à cœur.

Puis, dérogeant encore à mes habitudes, je quitte le bureau vers 15 h 45.

De ma voiture, je téléphone à Anna pour lui dire de ne pas se pointer au restaurant, comme chaque vendredi soir, en précisant qu'elle peut tout de même enfiler sa robe noire de chez Prada, son collier de perles et ses souliers à talons hauts. Avant même qu'elle puisse dire quoi que ce soit, je lui annonce que je suis en route vers la maison et que j'y serai pour souper.

New York – Tokyo

Ça ne peut pas être notre fête tous les jours…
Après deux heures de retard, on a enfin pu
monter à bord de l'appareil. On y est à l'étroit
et on a quatorze longues heures de vol à faire
avant de fouler le sol du Japon. On aura le
temps de regarder une série entière, deux ou
trois films et de lire un bon livre. En plus, mon
siège est situé en plein centre de la rangée. Tu
es assise à ma droite, sur le bord du couloir. La
fatigue te donne la nausée. J'espère que tu iras
mieux bientôt.

À ma gauche, une femme voyageant seule.
En temps normal, je n'aime pas entretenir
la conversation avec des passagers que je ne
connais pas. Je préfère me reposer. Elle semble
si agitée.

Je me dis que le temps passera plus vite si
nous discutons une demi-heure, pendant que
toi, tu somnoles à mes côtés.

La femme attendait seulement que je lui demande comment elle va pour se lancer dans les confidences. En un rien de temps, j'apprends qu'elle voyage pour la première fois de sa vie, qu'elle est veuve et qu'elle aime le chocolat. Ce dernier détail, elle ne me l'a pas dit. Je l'ai compris en la voyant parler la bouche pleine.

Elle est partie de Québec pour rendre visite à son fils, installé à Tokyo pour recevoir des traitements expérimentaux. Il lutte pour sa vie, seul dans la capitale japonaise. Il a trente-quatre ans seulement.

— Il est là-bas depuis trois mois, et je n'ai pas pu lui rendre visite une seule fois.

— Est-ce que les traitements semblent fonctionner ?

— On ne le sait pas encore. Seul le temps nous le dira.

Évidemment. Le temps. Il est maître de tout. On ne peut rien y faire, encore moins se battre contre lui.

— Pourquoi n'y êtes-vous pas allée avant ?

— Les billets sont extrêmement chers.

— Vous avez dû mettre de l'argent de côté…

— Non, des gens de mon entourage ont organisé un souper spaghetti pour me permettre de lui rendre visite. Je leur en suis tellement reconnaissante. Vous auriez dû voir la vague d'amour que j'ai reçue lors de cette soirée.

Allez savoir pourquoi, cette dame me touche droit au cœur. Elle m'offre tout ce qu'elle sort de sa sacoche. Du chocolat, des amandes grillées, des mouchoirs. Elle donnerait tout ce qu'elle a, elle qui ne possède rien. Toute seule au fond de son trois et demie, elle programme son réveil à 5 heures chaque matin pour parler à son fils à 6 heures le soir, heure du Japon, pendant sept minutes au téléphone. Elle a besoin de toutes ses économies, qu'elle cumule en travaillant à l'épicerie du coin, pour régler la facture de téléphone, la fin du mois venue.

« De New York à Tokyo, tout est partout pareil », dit la chanson de Plamondon. Je n'en suis pas si sûr. Je n'ai pas vu passer les quatorze heures de vol. Tu as dormi tout le long pendant que moi, j'apprenais à connaître Mme Bisson. Je suis conscient de l'importance d'avoir notre mère près de nous.

Avec la fougue d'un marathonien, je me lève et me contorsionne pour attraper mon bagage à main dans le compartiment au-dessus de nous.

Mme Bisson a entrepris la lecture d'un vieux roman Harlequin qu'elle a sans doute acheté pour dix cents dans une vente de débarras. Je fouille dans mon sac et j'en sors un petit carnet de cuir noir sur lequel on peut lire : Porter & associé. J'attrape mon stylo et je me mets à écrire. L'espace est restreint. Je fais attention de ne pas t'accrocher de mon coude droit, ce qui pourrait te réveiller.

J'arrache le bout de papier et le glisse doucement sur la tablette de ma voisine de gauche.

— Vous êtes fou ?

— Non. Je suis simplement touché par votre histoire.

La dame éclate en sanglots. Elle est inconsolable.

— Monsieur, je ne gagne même pas ce montant en un an de salaire.

— Saluez votre fils pour moi.

Je sais que je ne la reverrai jamais. Mais le sentiment d'avoir, un tant soit peu, changé quelque chose dans la vie de quelqu'un me remplit d'un sentiment indescriptible.

Après l'atterrissage, alors que tu te réveilles doucement, tu t'étonnes de me trouver dans une étreinte avec ma voisine.

— Pourquoi faites-vous cela ? Je ne pourrai jamais vous remercier comme il se doit. Vous êtes un ange, monsieur. C'est certain.

— Oh non, si vous saviez. Allez ! Bon séjour au Japon !

Autant d'amour de la part d'une inconnue te surprend.

— As-tu bien dormi ?

— Oui, merci ! Qui est cette femme ?

— On a discuté dans l'avion et on a appris à se connaître.

— Intense ! Elle avait l'air heureuse en tout cas ! Même un chèque de vingt-cinq mille dollars ne procure pas une telle réaction...

— C'est encore drôle.

— Quoi ?

— Non, rien. Allez, on descend.

En descendant de l'avion, on peut lire en grosses lettres : Welcome to Japan.

Il y a tellement de monde, on dirait une fourmilière. Ça sent mauvais. Certains passagers auraient intérêt à filer tout droit aux toilettes, en quête d'un peu d'eau chaude et de savon. Je ne fais pas exception d'ailleurs. Malheureusement, on n'a pas le temps pour ça. Tous les passagers se ruent sur le comptoir d'information pour savoir à quel endroit il faut aller. Instinctivement, on décide de suivre la foule. Après quatorze heures d'avion, on a seulement quarante-cinq minutes pour se rendre au suivant. C'est une vraie course contre la montre. Je salue rapidement Mme Bisson. Pour elle, rien ne presse. Seulement la hâte de revoir son enfant. Elle est rendue à destination. Les gens se bousculent et manquent de savoir-vivre. J'ai sommeil. J'ai l'impression qu'un camion vient de me passer sur le corps. Exténués, nous arrivons à temps devant le comptoir d'embarquement. Vivement le prochain vol, j'espère pouvoir fermer les yeux un peu.

10

J'ai à peine le temps d'ouvrir la porte de la maison qu'une odeur familière me saute au nez. Je pense que je n'étais pas le seul à avoir envie de manger autre chose que des pâtes ce soir.

— Cette odeur me rappelle mon enfance.

— Je sais. C'est la recette de ta mère. Je savais que tu apprécierais.

J'enlève mes souliers avec difficulté. Mes pieds sont tellement enflés. Je ne pourrai plus tenir debout encore très longtemps. Je me dirige vers la cuisine et j'embrasse Anna.

— J'avais oublié à quel point c'est agréable de rentrer chez soi alors que le soleil n'est même pas encore couché.

— Tu m'as surprise, Greg.

— Vous êtes jolie, mademoiselle.

Je lui tends le bouquet de fleurs que j'ai ramassé chez Rose en sortant du bureau.

— As-tu quelque chose à te faire pardonner, Greg?

— Vraiment?

— Je ne suis pas habituée à ce genre d'attention, c'est tout.

C'est un avant-goût de la discussion que nous aurons pendant le souper. Celle que nous aurions dû avoir bien avant. Pas une seule goutte de vin ne coulera à table. Nous devons nous parler, sans que nos idées soient altérées par l'alcool.

— C'est vraiment délicieux.

— C'est trop salé.

— Es-tu contente que je sois là?

— Ça fait changement!

Je dépose mes ustensiles brusquement.

— Tu sais qu'il faut qu'on se parle.

— Depuis longtemps. Tu n'es jamais disponible, Greg.

— Je suis là aujourd'hui.

— Tu crois que c'est suffisant?

Je baisse la tête une première fois.

— Je n'ai jamais aimé le menu du Casa. J'y vais simplement parce que c'est le seul moment où je peux passer du temps avec toi.

— On peut changer d'endroit si tu veux.

— Là n'est pas la question, Greg, et tu le sais très bien. Tu travailles tout le temps, tu rentres à des heures impossibles et tu empestes l'alcool. Tu crois qu'une soirée et qu'un bouquet de fleurs suffisent? C'est d'un mari que j'ai besoin…

Je baisse la tête une deuxième fois, déjà.

— J'aimerais que tu sois franche…

Je lève les yeux pour la regarder.

— Si je devais mourir demain, considérerais-tu que tu as mené une vie heureuse avec moi ?

Ma question reste en suspens. Je baisse la tête une troisième fois. Elle m'a vaincu en un temps record. Je n'aurai même pas l'occasion de prendre ma revanche. Anna se lève et ramasse son assiette sans dire un mot. Le silence qu'elle m'a servi en guise de réponse nous a noué l'estomac et coupé l'appétit à tous les deux.

J'irai au lit bientôt, même si ce n'est pas l'envie qui manque de foutre le camp chez Morneau.

11

— Désolé de vous harceler au téléphone, monsieur Porter. L'inspecteur Danny McDougall est ici. Il dit qu'il a un rendez-vous avec vous ce matin, mais je ne le vois pas dans votre horaire. Est-ce que je le fais entrer ?

— Oui, Patricia. Je serai là d'une minute à l'autre. Offrez-lui un café et conduisez-le jusqu'à mon bureau, s'il vous plaît.

— Parfait.

Le trafic est intense ce matin. J'aurais dû quitter la maison encore plus tôt. Les lendemains de tempête, c'est toujours comme ça, à Montréal. L'hiver tire à sa fin, heureusement. Bientôt, ils ne sauront plus quoi faire de toute cette neige.

J'ai un rendez-vous très important ce matin. Le plus important de toute ma semaine. Je ne dis bonjour à personne et je file directement à mon bureau, où il est assis sagement.

— Dan, vieille branche ! Comment vas-tu ?

— Greg ! Ça fait un bail. Je vais bien, et toi ?

— La routine. Tu me connais. Le travail a toujours pris beaucoup de place dans ma vie. Qu'est-ce qui se passe de bon avec toi?

— Écoute, je ne sais pas trop par où commencer. On ne s'est pas vus depuis si longtemps. Mais le changement majeur, c'est qu'Isabelle et moi, on a adopté un enfant.

— WOW! Quelle belle nouvelle!

Je suis content pour lui, mais involontairement, je me compare. C'est un vieux pote que j'ai connu lorsque j'étais enfant. On a tout vécu ensemble. Nos études nous ont un peu éloignés.

Puis, lorsque nous sommes arrivés sur le marché du travail, nos vies ont pris deux directions complètement différentes. Lui, dans la police, et moi, dans les finances. J'ai l'impression que ma vie s'est arrêtée à ce moment, ce qui n'est certainement pas le cas pour lui.

— Vous avez un petit garçon?

— Une petite fille. Leila. Elle a changé nos vies, pour le mieux. Le fait d'avoir à s'occuper de quelqu'un d'autre que soi, ça calme les ardeurs. Maintenant, je sais pourquoi je me lève le matin pour aller travailler.

— Je comprends.

— Dis-moi, qu'est-ce que je peux faire pour toi? Pourquoi m'avoir écrit si tard, l'autre nuit?

— Dan, il faut que je te confie quelque chose. Promets-moi que tu n'en parleras à personne.

— Tu le sais bien, voyons… Secret professionnel.

Je lui raconte tout. Du jour un de notre rencontre virtuelle jusqu'à aujourd'hui. Je ne peux pas dire qu'il approuve, mais du moins il connaît la vérité et la raison de mon appel à l'aide.

— Je ne vois toujours pas ce que je peux faire pour toi, Greg.

— Tu es dans la police. Tu dois sûrement pouvoir faire de petites recherches ? J'ai son numéro de téléphone cellulaire. Elle doit être facile à retracer, non ?

— Tu veux que je me serve de la banque de données de la police pour t'aider à identifier une pure inconnue avec qui tu entretiens une prétendue relation ? Tu es devenu fou ?

— S'il te plaît… Je ne sais plus quoi faire. Effectivement, elle est en train de me rendre fou.

Un long silence me laisser espérer qu'il réfléchit un minimum à ma demande.

— Alors ?

— Greg, je le ferai. Mais ce n'est pas de gaieté de cœur. Je pourrais perdre mon emploi et me retrouver à la rue.

— Merci, Dan. Qu'est-ce que je peux faire pour te remercier ?

— Prendre une décision personnelle pour une fois dans ta vie. Anna ne mérite pas cela.

Confus, je baisse les yeux en guise d'approbation. Il a raison. Il est temps que j'arrête d'agir en adolescent.

— Je te promets que je le ferai. Je n'ai pas besoin de beaucoup de choses. Son nom, son âge, son adresse…

— Un chausson avec ça ?

— Une photo de profil serait bien aussi.

Dan se lève et se dirige vers la porte de mon bureau.

— Quand crois-tu pouvoir me donner les informations ?

— En temps et lieu, Greg. On a du travail important à faire aussi. Il y a des criminels en liberté en ce moment.

— Je comprends… Merci !

— Je ferai mon possible…

Son sourire me rassure. Il ne m'en veut pas trop. Comme un enfant de douze ans, j'ai déjà hâte de connaître le résultat de ses recherches. Je saurai bientôt de qui je suis en train de tomber follement amoureux.

Tokyo – Taïwan

On dirait que mon corps s'est habitué aux longs moments assis dans un siège inconfortable. Trois heures de vol, c'est de la petite bière. Taïwan sera notre dernière escale avant d'arriver enfin à Bali. Je me prépare mentalement à la suite. Je n'ose même pas fermer l'œil de peur de manquer quelque chose. Je regarde autour de moi pour voir si je ne pourrais pas entretenir la conversation avec quelqu'un. Je n'arrête pas de penser à Mme Bisson. C'est fou comme on peut parfois rencontrer des gens qui changeront le fil de notre vie. Ça a été le cas. Grâce à elle, je me sens mieux.

12

— Monsieur Porter, salle trois, s'il vous plaît, s'époumone Karine.

Pas besoin de crier, je suis seul. Même le désert est plus habité que la salle d'attente de la clinique en ce vendredi après-midi. Cela ne m'a pourtant pas épargné une bonne demi-heure d'attente avant d'être enfin convoqué dans le bureau du Dr Savard. Je le soupçonne de vouloir se venger pour toutes les fois où je ne me suis pas pointé à mon rendez-vous, par pure négligence. J'aimerais bien être un petit oiseau pour voir ce qu'il fait pendant qu'on poireaute. Je l'imagine carrément en train de faire des mots croisés, de tricoter ou de glander sur les réseaux sociaux.

En ouvrant la porte, je l'aperçois dans son immense fauteuil en cuir rouge, le stéthoscope autour du cou. Il est fin prêt à me faire le grand examen. Son regard me dit que je vais y goûter. Il n'est pas doux, aujourd'hui.

— Un revenant, dit-il avec un peu d'aigreur dans la voix.

— J'ai dû partir en vitesse la dernière fois, toutes mes excuses.

Le ton que j'emprunte n'est pas sincère du tout et cela le rend encore plus agressif dans ses propos.

— Vous savez, je suis là pour veiller sur votre santé à vous.

À partir de ce moment, je pourrais réciter mot pour mot ce qu'il va me chanter pendant le reste de la consultation. Quarante-cinq minutes à me faire dire que je devrais perdre du poids, arrêter de fumer et réduire ma consommation d'alcool. Au fond, je devrais arrêter de vivre, sinon je meurs. Où est la logique là-dedans?

Il prend mon pouls et ma pression. Comme si cela allait me sauver la vie.

Après les sermons et les ordonnances, je peux enfin quitter son bureau, avec la légère impression d'avoir perdu quarante-cinq minutes de ma vie et de n'être qu'un peu plus près de la mort.

Moi: Salut, Lucas, on se rejoint chez Morneau dans une heure?

Lucas: Parfait, à tout de suite.

Taïwan – Bali

Nous ne sommes pas encore arrivés à l'aéroport international Ngurah Rai que tu commences déjà à m'étaler les activités au programme.

— Quand est-ce qu'on dort, là-dedans ?

— En temps et lieu. Oui, nous y sommes pour nous reposer, mais il faut bien visiter un peu.

L'avion descend tranquillement sur l'île des Dieux. Vu d'en haut, le paysage est à couper le souffle. Tu me surprends de plus en plus.

Bali...

Jamais de ma vie je n'aurais cru y mettre les pieds un jour. Moi qui te croyais de type «tout inclus» en République dominicaine.

À l'extérieur, une vingtaine de guides touristiques brandissent leur pancarte en criant dans l'espoir de se faire engager.

Le moins excité, seul dans son coin, tient une pancarte sur laquelle on peut lire «M. Porter».

L'homme, très heureux de nous accueillir, y va d'une longue accolade. Ensuite, il nous explique l'origine de son nom.

Il y a quelque temps, j'aurais trouvé la conversation d'un ennui mortel. Il nous dit que, chez lui, il n'y a pas de noms de famille. Que ses frères et sœurs en portent un différent du sien. Les parents le choisissent après trois mois environ, selon quelques critères, comme l'apparence physique ou encore une qualité qu'ils espèrent attribuer au poupon.

Pour le prénom, c'est tout à fait différent. Rien n'est laissé au hasard. Ils y vont selon un ordre logique de naissance. Comme il est le premier de sa famille, il porte le nom de I Wayan Dharma. Son nom de famille, Dharma, signifie « bon ».

Je te regarde t'imprégner de chaque petit détail. Tu ne veux rien manquer. Dans un petit carnet de voyage, tu prends des notes. Puis, dans un anglais imparfait, tu te lances dans les présentations.

— Wayan, voici Greg. Greg, Wayan sera notre guide, autant spirituel que touristique. Il passera la semaine avec nous. C'est le meilleur d'entre tous. Bali n'a plus de secrets pour lui.

Je le salue d'un signe de tête. Nous aurons bien le temps de faire plus ample connaissance. Il se dirige tout droit vers la sortie pendant qu'on fait la file, encore une fois, pour régler les trente-cinq dollars américains que nous coûte notre visa. C'est une aubaine.

Je piétine tellement j'ai hâte de respirer, pour la première fois, l'air de l'Indonésie.

13

Est-ce qu'un cognac par jour éloigne le médecin pour toujours ? Je ne crois pas, non.

Si c'était le cas, je serais invincible, depuis le temps ! Lucas m'attend sagement au comptoir, depuis une heure. J'avais tellement à faire. Je devais aller porter mes habits chez le nettoyeur, déposer des chèques à la banque… Des tâches que je devrais déléguer à Gérard. Je n'ai plus le temps pour ça.

— Désolé pour le retard…

— Ce n'est pas grave. C'est toi le pire là-dedans, tu devras rattraper le temps perdu.

Chez Morneau, le temps se calcule en litres.

Il me tend deux cognacs et une bière, que j'enfile aussitôt pour me mettre à niveau avec lui.

— Comment s'est passée ta journée ?

— La routine. J'ai vu mon médecin cet après-midi. Il me reste un mois à vivre, dis-je avec un sourire.

— Ah bon !

— Excuse-moi. C'était une mauvaise blague, étant donné les circonstances.

— Ne t'en fais pas…

— Et toi, comment te sens-tu?

— Je viens tout juste de finir de préparer les funérailles de demain. Il y a tant de choses auxquelles penser.

Le malaise vient de s'installer. La conversation pourrait très bien s'arrêter là. Je n'aime pas parler de ce sujet. Je n'ai jamais vraiment côtoyé la mort de près. À vrai dire, c'est la première fois que je dois gérer une telle situation.

Le troupeau a la mine bien basse aujourd'hui. Il y a quelque chose dans l'air. Andrew, Stéphane, Gilles, Bernard, le gros Marleau, personne n'a le goût de rire. Même Gary, derrière son bar, a l'air aussi débiné qu'au matin d'un lendemain de veille.

Aucun éclat de rire, on chuchote. On se croirait au salon funéraire.

— J'aimerais que tu y sois, Greg.

Je redoutais tellement ce moment. Lorsque j'ai offert mon aide à Lucas, je parlais d'argent. Pas de l'accompagner aux funérailles de sa femme. Toutefois, c'est le genre de chose qui ne se refuse pas. C'est comme quand un proche te demande d'être parrain ou marraine de son enfant. Tu ne peux pas dire non.

— Bien sûr que j'y serai…

Je sais que ma présence lui permettra surtout de s'envoyer un ou deux cognacs en cachette, sur le perron de l'église, juste avant d'entrer. Je ne peux pas le laisser vivre cela tout seul.

Je renchéris.

— Et si tu as besoin de quoi que ce soit, n'hésite pas.

Le nuage se défait peu à peu. Le temps devient moins lourd. Je sens Lucas plus zen. Le volume de la musique monte d'un cran. On avale quelques verres avec les autres.

On discute de sport, de bourse, de placements garantis à long terme, mais plus jamais d'elle. Je lui parle de ma mère et de son état depuis son accident. De mon désir acharné de la voir se réveiller. Je lui confie à quel point j'espère encore arriver un jour à l'hôpital pour la trouver sortie de son mauvais rêve une bonne fois pour toutes. Empreint d'empathie, lui qui sait maintenant ce que c'est que de perdre un être cher, il réplique qu'il ferait la même chose, à ma place.

Avant de me quitter, il me regarde, puis lève les yeux au ciel, l'air de dire : « Un dernier petit détail et après on n'en parle plus. »

— La cérémonie aura lieu dans une petite chapelle, au bord du Richelieu. Elle adorait l'eau, glacée ou pas.

— Tu peux compter sur moi, j'y serai.

Nous nous serrons dans nos bras. Il ne manque que le bracelet *Best Friends Forever*.

— Ne sois pas en retard.

— Promis.

Il tourne le dos, encore. Il fait quelques pas vers l'extérieur puis se retourne. Je croyais que, cette fois-ci, c'était la bonne.

— J'aurai quelqu'un à te présenter !

Sur ce sourire, que je n'avais pas vu de toute la soirée, j'en conclus qu'il est temps pour moi aussi de rentrer. J'appelle Gérard et le supplie de venir chercher son alcoolique.

Patricia : Mon surnom est Abeille. Je suis célibataire. J'ai un chat et une fixation sur Bali. J'irai un jour.

Moi : Je te croyais morte. J'étais sur le point de mettre la police à tes trousses ! ☺

Patricia : J'avais juste besoin d'une petite pause pour réfléchir.

Moi : Tu as rencontré quelqu'un ?

Patricia : Pourquoi poses-tu cette question ?

Moi : Tu te branches chaque jour sur Réseau-Rencontres...

Patricia : Est-ce de la jalousie ?

Moi : Non. Après tout, on
ne se connaît même pas...

Patricia : Mon ordinateur se branche
automatiquement sur le site,
dès que je l'ouvre. Content ?

Moi : Je suis allergique aux chats. ☺

Patricia : Je pleure en regardant
Les Anges de la rénovation.

Moi : Je pourrais tuer pour un pâté chinois.

Patricia : Mon petit orteil droit est
plus long que tous les autres.

Moi : Ark !

Patricia : HAHAHA !

Moi : Ma mère est dans le coma.

Patricia : La mienne mange les pissenlits par la racine. Désolée pour ta mère. Que s'est-il passé ?

Moi : Une vilaine chute.

Patricia : Quelles sont ses chances ?

Moi : Si seulement je le savais...

En sortant, nous cherchons notre guide du regard, jusqu'à ce qu'un vieux klaxon résonne.

Nous avons un petit autobus pour nous seuls. Là-bas, on appelle cela un « bemo ». Il nous servira de moyen de transport tout au long du périple.

La journée a été épuisante. J'ai l'impression d'être debout depuis des jours. La douleur que j'ai au bas du dos est intense et je ne sens plus mes jambes tellement elles sont engourdies.

J'aurais besoin d'un peu de repos, ce que nous conseille fortement Wayan.

— Si j'étais vous, j'irais récupérer des forces. Vous pourrez encore mieux profiter des prochains jours.

De l'aéroport, on grimpe au nord de Denpasar vers la ville de Kuta. Moi qui croyais me retrouver dans la paix et la sérénité balinaises. Au contraire, tous les excès semblent permis ici. On fait un petit arrêt pour marcher un peu à travers les ruelles de la ville. Je remarque, devant chaque établissement, de petits paniers d'osier décorés de feuilles, de branches, de bambous tressés, de grains de riz et de bonbons.

Wayan m'explique alors qu'il s'agit d'offrandes que les Balinais présentent à leur dieu en échange de sa protection. Ils en font un nouveau chaque matin.

En traversant la ville, on aperçoit les boutiques réputées, les discothèques et les restaurants. Des filles, assez joyeuses, nous offrent des séances de massage au rabais, de la drogue et de l'alcool. Je n'en reviens pas à quel point les lieux sont américanisés. On passe devant un McDonald's et un PFK. Le dépaysement total... Tu parles !

Nous arrivons enfin à notre hôtel.

The Sandi Phala.

14

— Anna... Anna?

Un son, semblable à celui d'un moteur qui est bon pour une vidange d'huile, retentit des draps de satin rouge vif qui risquent de l'étouffer à tout moment. Il y a de ces jours où le réveil est plus difficile que d'autres. Surtout un matin de neige fraîchement tombée comme aujourd'hui. Je viens de tirer le rideau, lentement, pour que le réveil ne soit pas trop brutal. Les rayons du soleil réfléchis par la neige se précipitent tout d'un coup à l'intérieur et illuminent la pièce. Le paysage de carte postale que nous offre la fenêtre de la chambre à coucher est d'un blanc immaculé. Un magnifique tableau hivernal.

L'odeur du café a déjà envahi la pièce depuis quelques minutes. De doux arômes s'entremêlent à l'odeur des draps et de son parfum.

À pas de loup, je m'approche du nid douillet où elle repose et me glisse dans les draps glacés, à ses côtés. Je dépose ma main sur sa joue.

— Est-ce que tu dors?

— Plus maintenant ! lance-t-elle d'une voix rauque.

Elle tend les bras vers la tête de lit pour s'étirer un peu.

— Tu n'es pas encore en route pour l'hôpital, ce matin ? À quelle heure es-tu rentré ? Je ne me suis même pas réveillée…

— Je n'ai pas fait de bruit. Gérard m'a ramené vers une heure du matin. J'étais avec Lucas.

Dans ses yeux, je vois qu'elle n'est pas surprise du tout.

— J'ai fait un feu et préparé le petit-déjeuner.

Elle se redresse d'un bond, comme si elle venait de faire un mauvais rêve.

— Qu'est-ce qui se passe, Greg ?

Je comprends que ce genre d'attention à son égard n'est pas arrivé très souvent ces dernières années, voire jamais. C'est bien assez pour faire le saut…

— Je n'irai pas ce matin. Je ne peux pas.

Depuis que ma mère est endormie sur son lit d'hôpital, je n'ai pas manqué un seul samedi matin à ses côtés. Cela fait désormais partie de ma vie. Je me sens un peu étrange. J'ai l'impression de la trahir. Il faut que j'arrête d'y penser, ça me met tout à l'envers. Je me console en me disant que, si elle était consciente, elle serait sans aucun doute fière de son fils. Je serai absent pour une bonne cause.

Je glisse mon bras autour de la taille d'Anna et la serre très fort contre moi. Elle sent que quelque chose ne va pas. Je ne suis jamais aussi affectueux. Elle craint le pire. On reste ainsi collés, à se demander qui des deux parlera le premier. Le silence me tue.

— L'autre jour, quand je t'ai dit qu'un de mes collègues de travail venait tout juste de se séparer…

— Lucas ?

J'ai toujours eu du mal à m'exprimer. Ce n'est pourtant pas si compliqué. Mais j'ai ce foutu besoin de trouver les mots exacts. Même si certaines situations ne nécessitent pas de mots justes. Il suffit de dire.

— Oui, Lucas. C'est exact.

— Il va bien ?

— Sa femme s'est enlevé la vie.

À peine ai-je terminé ma phrase que la tempête se lève. Dehors comme dedans. Le vent se met à souffler si fort qu'il transforme les jolis flocons en flèches glacées se fracassant contre la vitre. Je suis incapable de garder cela à l'intérieur une minute de plus. Blotti au creux des draps, je laisse un torrent de larmes déferler. C'est tout ce que je fais pendant cinq bonnes minutes. J'explique ensuite à Anna les moments de découragement auxquels j'ai fait face ces dernières années.

— C'est moi qu'on aurait pu enterrer ce matin.

— Arrête, Greg. Ne dis pas ça.

Anna met sa main dans mes cheveux d'un geste si rassurant.

Les joues comme un champ de blé après un bel orage d'été, après une heure entière sans dire un mot, je lui demande finalement, exténué :

— Est-ce que tu accepterais de m'accompagner aux funérailles ?

Le sourire qu'elle me retourne à cet instant me procure un bien fou.

— Bien entendu… Tu n'as pas à me le demander. J'irai avec toi. C'est quand ?

— Cet après-midi.

Sans perdre une minute de plus, elle bondit hors du lit pour être prête à temps. Son corps nu passe devant moi, dans notre chambre à coucher. Elle n'a rien à envier à personne. Elle a la taille d'une jeune mariée. Je la poursuis des yeux comme un fauve qui guette sa proie. Patiemment. Je la regarde se pavaner devant moi.

Prétextant le temps qui presse, je la rejoins sous la douche.

Ce matin-là, nous faisons l'amour comme des adolescents.

Nous nous installons ensuite devant le bon déjeuner que j'ai pris soin de préparer.

Nous parlons. Pour de vrai.

De la vie et de la mort. Nous rions, nous pleurons surtout. Il y a longtemps que nous n'avons pas eu une aussi belle conversation.

Elle me promet de m'accompagner, la semaine prochaine, pour rendre visite à Marguerite à l'hôpital. Ensemble, nous irons voir Rose pour lui choisir le plus joli bouquet. Je mettrai le paquet, puisque je manquerai à l'appel aujourd'hui.

Je ne le lui dis pas, mais je lui en offrirai un, à elle aussi, pour la remercier de me soutenir dans tout ce que je vis de beau et de moins beau.

En attendant, nous nous préparons. Ce matin, nos fleurs seront destinées à quelqu'un d'autre. Nous enfilons nos plus beaux vêtements. Sa magnifique robe noire sera de circonstance aujourd'hui. Je l'aide à en remonter la fermeture éclair. Je me tiens debout, juste derrière elle, devant le miroir. Je la regarde mettre ses boucles d'oreilles.

Je nous regarde… Elle n'a pas changé. C'est comme si le temps n'avait aucun effet sur elle. Même pas une ride au front. Alors qu'à moi, il a creusé des fossés avec les années.

Nous partons, avec un peu de temps devant nous, vers la chapelle.

Wayan nous aide à apporter nos bagages jusqu'à la réception de l'hôtel. Nous le remercions de deux cent mille roupies, la monnaie du pays. Cela équivaut environ à dix-huit dollars canadiens.

Il reviendra demain en milieu d'après-midi pour continuer le tour guidé.

L'endroit est calme et paisible, enfin.

J'ai eu un peu peur tout à l'heure, en traversant le tourbillon de la ville. L'homme derrière le comptoir nous remet la clé de la suite de luxe en nous indiquant le chemin pour nous y rendre.

Une petite musique douce nous berce et nous guide jusqu'à notre chambre en nous invitant à pénétrer dans le havre de paix.

Par habitude, je me dirige vers les grandes portes situées tout au fond de la chambre. En les ouvrant, nous découvrons la piscine à déversement qui nous est réservée, avec vue sur la plage.

Une bouteille de mousseux nous attend, dans un seau à glace déposé sur un lit garni de centaines de pétales de rose. La musique d'ambiance qui nous accompagnait dans le corridor joue à l'intérieur de la chambre. Une mélodie exotique qui incite à la détente et à la relaxation. Le scénario est parfait et le personnage principal, toi, l'est encore plus.

Je suis probablement en train de rêver.

15

Le Richelieu en hiver ne perd absolument rien de son charme. Le cours d'eau se cache sous une fine couche de glace où se mirent les arbres, fiers et droits comme une tour de cathédrale, dont les branches sont ornées de longs filets enneigés, tel un collier au cou d'une dame. Je ne suis sûrement pas le premier à circuler sur cette route depuis le début de la journée. Pourtant, le tapis de neige est parfait. Aucune trace de pneus à l'horizon. Si bien qu'il est difficile de savoir si je suis dans la bonne voie.

Plus j'avance, plus se dessine à l'horizon la croix dominant la petite chapelle qui réchauffera les âmes rassemblées pour dire adieu à Catherine.

Lucas n'aurait pas pu choisir un plus bel endroit pour rendre hommage à sa douce. Le paysage est à couper le souffle. On dirait même qu'il a commandé le temps idéal.

Le grand portail en acier s'ouvre lentement, laissant une trace dans la neige qui s'est amassée sur son seuil. Le simple fait de le franchir me chavire. Anna voit bien que je ne suis pas dans mon état normal. Je ne sais pas comment elle fait pour deviner avec autant d'acuité les sentiments d'autrui. Elle doit avoir un don. C'est une sorcière. On jurerait qu'elle sent mon cœur battre à toute allure dans ma poitrine. Elle prend ma main et la serre contre sa cuisse. Je me calme. On dirait que je viens assister à mes propres funérailles.

Devant le parvis de l'église, deux immenses colonnes en pierre se dressent solennellement. À leur extrémité, on aperçoit la flamme de deux torches allumées. La chaleur qu'elles dégagent se fraie un chemin jusqu'à nous et entre par la fenêtre d'Anna, grande ouverte. On croirait une scène de film.

Je descends de ma BMW, seule voiture qui n'est pas recouverte de neige, ce qui me laisse croire que les proches sont là depuis un bon moment déjà. J'en fais le tour. J'avais oublié le son que font les pas dans la neige. Je vis le moment présent. Je suis attentif à chaque minuscule détail.

J'ouvre la portière d'Anna et je lui tends la main pour l'aider à descendre. Élégamment, elle attrape le bas de son manteau de fourrure pour l'éloigner de la saleté qui encrasse la jupe de ma voiture.

— Madame Harrison.

Elle me décoche un grand sourire. J'avais aussi oublié à quel point elle est magnifique quand elle sourit.

— Monsieur Porter.

Pendue à mon bras, elle avance à petits pas afin de ne pas trébucher. Tandis que d'autres arrivent encore, ceux qui se trouvaient à l'intérieur sortent sur le perron de la chapelle, qui accueillera la défunte dans quelques minutes.

Une forte odeur de cigare imprègne l'air pur, le polluant un peu. Je ne serai pas le seul à fumer, je me sentirai moins coupable.

Je délaisse le bras d'Anna le temps de glisser ma main dégantée dans la poche intérieure gauche de mon long manteau pour y attraper le cigare que j'y laisse en permanence et ne ressors que dans les occasions spéciales. Malheureusement, certaines occasions sont moins festives que d'autres. Comme aujourd'hui. La terre chuchote. On a peine à percevoir les conversations. Quelques curieux sont venus pour voir ce qui se passe en ce samedi dans leur paroisse. L'endroit est rarement aussi vivant. Drôle à dire quand on sait que, dans quelques instants, nous ferons face à un corps mort. Celui de Catherine, qui s'est enlevé la vie il y a deux semaines.

Tout le monde sursaute au son strident de la barrière, rouillée comme de vieux os, qui s'ouvre lourdement pour laisser passer un cortège de chevaux dans leur attelage du dimanche suivis de deux Cadillac noires. Ils avancent lentement mais sûrement, jusqu'en bordure des immenses marches de béton menant aux grandes portes de bois, qui gardent la chaleur à l'intérieur de la chapelle. Le convoi s'arrête à quelques pas du perron.

Les vitres teintées du véhicule préservent l'intimité des personnes qui s'y terrent. Une fenêtre s'ouvre. J'aperçois Lucas, qui scrute rapidement la foule de ses yeux vitreux. Sa quête s'arrête instantanément au moment où il me remarque. Je me plais à croire qu'il est content que je sois là. Il me fait un signe de son gant de cuir.

Un homme descend de la voiture, la contourne, et va aussitôt ouvrir la portière de Lucas. Celui-ci en sort, accompagné d'un petit homme dont le visage me semble familier. Main dans la main, ils se dirigent vers Anna et moi, jusqu'à ce que je reconnaisse l'enfant frêle se tenant devant moi.

— Greg, voici Jérémie.

Je suis sous le choc. Jérémie Ross. J'ai à peine le temps de reprendre mes esprits que le gamin se rue sur moi avec toute la fougue d'un orphelin qui viendrait de retrouver son père par je ne sais trop quelle force divine.

— On dirait qu'il t'a adopté, Greg.

L'assemblée croit assister à une touchante scène de retrouvailles, qui n'en est pas une en fait. C'est le genre de situation susceptible de déstabiliser l'homme rigide que je suis.

Anna, visiblement émue, s'agenouille à côté du garçon.

— Bonjour, je m'appelle Anna.

L'enfant tend sa petite main pour agripper celle de ma femme, qui est surprise par tant de délicatesse.

— Oh! Vous êtes bien élevé, jeune homme!

— Lucas, c'est…

— Mon garçon, oui! Je t'avais bien dit que j'avais quelqu'un à te présenter.

En accéléré, je me repasse l'extrait de ma rencontre avec Jérémie, dans le bureau du Dr Savard.

— Mais, l'autre jour, dans le bureau du médecin. Cet homme avec lui…

— Je sais. Les derniers jours n'ont pas été faciles. Mais j'ai repris le contrôle. Ne t'en fais pas.

Rassuré, je secoue le petit chapeau de poil enneigé que porte Jérémie, puis je lève les yeux au ciel, prenant conscience que tout cela est bien vrai.

Le bruit assourdissant des cloches, à faire trembler les cœurs, annonce la dure réalité du moment. On s'écarte de chaque côté des portes pour former une haie d'honneur. À mes côtés, Lucas et Jérémie, qui ne me lâche plus d'une semelle. Juste en face, Anna. On se fixe pendant de longues minutes, avant que nos regards se quittent pour observer le passage du cercueil déjà recouvert d'une fine couche de neige immaculée, porté par des hommes vêtus de leurs plus beaux atours. Les fidèles disciples de la taverne Morneau.

La haie se referme et le troupeau entre dans la chapelle, que je découvre pour la première fois. Je m'étais promis de ne pas pleurer. J'ai bien failli en voyant le sanctuaire somptueusement décoré de vingt-cinq oiseaux du paradis. Je les ai comptés et j'ai compris. Le pilleur de fleurs de l'autre jour, c'était Lucas.

La jeune nièce de quinze ans de la défunte vient brillamment réciter un hommage touchant pendant que des diapositives apparaissent sur un écran, installé à la droite de l'autel. Tantôt on rit, tantôt on pleure. Des centaines de photos se succèdent. Le tout accompagné d'une trame sonore qui rend la scène encore plus mélodramatique. Cela doit faire étrange pour Lucas de voir défiler le film de sa vie devant toute l'assemblée. On assiste à la première rencontre, au mariage, à l'accouchement, aux vacances de la petite famille. J'en apprends un peu plus sur celui que j'ai embauché il y a quelque temps.

Je me perds dans mes pensées. Je ne peux m'empêcher de regarder Jérémie et de m'imaginer ce que cela peut faire de perdre sa mère. Il ne semble pas le réaliser encore. Je veille sur ma mère inconsciente depuis des mois et je me battrai jusqu'au bout. Certains diront que c'est de l'acharnement, mais le simple son des moniteurs cardiaques dans sa chambre me rassure, moi.

La cérémonie se déroule en toute sobriété quand la sonnerie de mon téléphone retentit entre les murs du lieu sacré. Pauvre imbécile. Je ne peux pas croire que j'ai omis de la fermer avant d'entrer. Des dizaines de têtes se tournent instantanément vers moi pour ajouter au malaise. Sans compter Anna, qui me regarde du coin de l'œil tout en rendant un petit sourire niais à tous ceux que ma sonnerie ridicule a dérangés.

Je me dépêche de sortir l'appareil, planqué au fond de la poche de mon veston. Juste avant d'appuyer sur le bouton qui dirigera l'appel directement vers ma boîte vocale, j'entrevois le numéro de téléphone.

Je me lève d'un bond et file tout droit vers l'extérieur. Anna hésite un instant, attrape mon long manteau que j'ai laissé sur le banc et me suit. Elle n'a pas eu le temps de me dire quoi que ce soit. Piétinant sur le perron, autant que les chevaux qui patientent dans la neige depuis beaucoup trop longtemps, j'attends qu'Anna me rejoigne pour quitter l'endroit.

Les secondes à poireauter dehors me semblent interminables. Quand elle ouvre finalement l'immense porte de bois, je lui fais un signe de la main pour qu'elle accélère le pas. Derrière elle se tient Jérémie, un oiseau du paradis à la main, qu'il me tend à bout de bras. Je m'empresse de le récupérer en le remerciant.

Rapidement, nos bagages se sont retrouvés au fond d'un placard, avec nos vêtements.

Nus, sans aucune pudeur, nous faisons quelques pas vers l'extérieur.

À la lueur du soleil qui descend et de deux petites torches allumées de chaque côté des marches de la piscine, nous nous enlaçons longuement. Dans la pénombre, nous restons toute la soirée dans l'eau chaude à boire du champagne et à nous laisser bercer par le son des vagues qui se brisent sur l'estran.

Au loin, nous remarquons un immense feu de joie. Sous une arche décorée d'une centaine d'oiseaux du paradis, un couple se tient debout, main dans la main, devant le plus beau coucher de soleil qui soit.

Elle, portant la robe blanche, et lui, le complet noir.

Pieds nus dans le sable, des enfants, qui sont probablement les leurs, jouent.

Les éclats de rire fusent de toute part. Ça sent le bonheur à des milles à la ronde.

La peau plissée par l'eau, fatigués du long parcours entre Montréal et le paradis, nous sortons de la piscine pour rejoindre le grand lit qui nous servira de refuge. Tu t'endors dans mes bras. La nuit la plus mémorable de ma vie. La brise qui entre par la porte grande ouverte de notre villa vient effleurer doucement nos corps nus. Corps à corps, à Bali.

Je te caresse pendant de longues minutes alors que tu dors, encore étourdie par le champagne et le décalage horaire. Je n'ai finalement plus envie de dormir.

J'ai hâte au petit matin pour voir tes yeux s'entrouvrir.

Tu as pris soin de noter toutes nos activités des prochains jours dans un petit cahier bleu qui traîne sur la table de chevet, à tes côtés. Je n'ose même pas y jeter un coup d'œil. Je veux que tu me surprennes.

Les étoiles luisent au firmament, demain il fera beau.

16

Anna me supplie de ralentir, compte tenu de l'état des routes. Il ne m'en faut pas plus pour que mon pied s'alourdisse. Je n'ai pas beaucoup de temps. Dans le rétroviseur, je vois s'éloigner la déneigeuse que je viens tout juste de dépasser. Je ferai le travail moi-même.

— Vas-tu enfin m'expliquer ce qui se passe, Greg? En pleine cérémonie de funérailles, vraiment? Qu'est-ce qui peut bien t'avoir bouleversé ainsi?

Je suis incapable de dire quoi que ce soit. Les mots se bousculent dans ma tête et s'arrêtent abruptement au moment où j'ouvre la bouche pour les évacuer.

— Greg, tu vas nous tuer, ralentis, bon sang!

Je retrouve mon calme un instant. Ces quelques mots m'ont percuté comme aurait pu le faire le camion qu'on vient de rencontrer et qui a bien failli me faire perdre la maîtrise de mon véhicule. Il ne faudrait tout de même pas que je me rende à l'hôpital en ambulance.

C'est lorsque nous arrivons devant le St. John's Hospital qu'Anna comprend que quelque chose se passe. Je laisse la voiture si près de la porte d'entrée qu'elle s'ouvre automatiquement. Je lâche un soupir de soulagement en remerciant le Bon Dieu d'être arrivé sain et sauf, j'attrape la fleur paradisiaque et nous nous précipitons vers l'intérieur.

En passant devant le comptoir d'information, je lance mes clés au gardien de sécurité pour le supplier de déplacer ma voiture. Je sais bien qu'on ne peut pas rester garé devant l'entrée principale d'un centre hospitalier. C'est insensé.

Pas le temps d'attendre l'ascenseur cette fois-ci. Les secondes filent à toute allure. Par la droite, on dépasse le concierge qui avance nonchalamment avec son immense chariot de serviettes et de draps. On traverse l'urgence bondée en zigzaguant entre les civières pour finalement arriver devant la cage d'escalier. Je n'ai jamais monté quatre étages aussi vite. Un temps record. Ce n'est pas bon pour mon cœur. Je n'ai pas encore réussi à prononcer une parole.

En ouvrant la porte, nous sommes accueillis par une dame qui s'offre pour nous escorter.

Plus j'approche de la chambre 422, plus ma poitrine se resserre. Sur le seuil, j'étire le cou pour regarder à l'intérieur, puis j'aperçois ma mère.

Trop occupé à te regarder dormir, j'en oublie de fermer les yeux. Je ne ressens plus la fatigue, désormais. Je suis immunisé. En douce, pour ne pas te réveiller, je me glisse hors des draps de satin. Tu étais excitée de commencer la visite des lieux, hier soir, en arrivant. Ce matin, c'est moi qui ai hâte de mettre les pieds dans le sable. Avant le lever du jour, je me rends sur la plage désertée de toute âme. J'y prie les dieux. Ceux du soleil et de la mer. Ceux que je ne connais même pas. En respirant longuement, je pense à chaque personne qui m'entoure. Pourquoi Bali m'apaise-t-elle autant ? J'aimerais y finir mes jours.

À genoux dans le sable, j'implore le soleil jusqu'à ce qu'il se pointe le bout du rayon. Jusqu'à ce que je sente sa chaleur bienfaisante me chatouiller la peau. Je me surprends à ne penser à rien. Pour une fois, le sable n'est plus une menace pour moi. Il n'est pas en train de s'échapper du bulbe supérieur de mon satané *sablier. Il n'est qu'horizon. Il est doux pour mes pieds glacés.*

L'air est si bon. Je me lève pour m'approcher du bord de la mer, j'y trempe les orteils. Mon corps s'habitue peu à peu. Je pensais que l'eau serait plus chaude, tout de même, étant donné le temps humide qu'il fait. Aujourd'hui, on devrait atteindre trente degrés.

Debout, les pieds dans l'eau, je fixe l'horizon pendant de longues minutes. Je me demande à quand remonte la dernière fois où je me suis retrouvé seul avec moi-même. Il faut que je me parle, j'ai tant de choses à me dire.

Je marche lentement sur le rivage. Tout à coup, je ne sens plus mes muscles endoloris. Les vagues qui viennent se fracasser contre mes che-villes me donnent des frissons partout sur le corps. Mes pas se fondent dans le sable gorgé d'eau.

En me retournant, je constate qu'une simple vague suffit à tout effacer, ne laissant aucune trace de mon passage sur la plage de Kuta. Mes empreintes disparaissent au fur et à mesure que je marche, ce qui m'amène à réfléchir au fait qu'on est si petit dans l'Univers. Aussi petit qu'un grain de sable. En un coup de vent, on s'efface, on n'est que souvenir, on redevient poussière.

Confortablement blottis dans le sable, ce ber-ceau gigantesque, des amoureux sont endormis. La terre leur aura servi de nid douillet. Je pense à toi. Je me retourne pour voir si je ne t'apercevrais pas, debout sur le balcon de notre chambre à coucher. Le rideau y est toujours tiré. Tu dors encore. Tranquillement, je reviens vers l'hôtel. J'irai y chercher ton petit-déjeuner, que je te servirai au lit. Dans le stationnement de l'hôtel, je tombe sur Wayan. C'est un lève-tôt ! Il attend déjà que nous soyons prêts pour la visite du jour.

17

— Monsieur Porter?

Mes yeux s'ouvrent difficilement, sous la puissance des néons. Ils sont si aveuglants, si intenses qu'ils me flanquent la migraine. Allongé sur le dos, j'ai du mal à bouger mes membres. Je suis engourdi.

J'entends des voix. Deux ou trois stagiaires m'épient, de l'autre côté d'une vitre. J'ai l'impression d'être un animal de cirque ou un rat de laboratoire qu'on aurait placé en observation. J'ai l'étrange sensation d'avoir été secoué comme une poupée de chiffon. J'ai du mal à me souvenir des instants qui ont fait que je me retrouve ici, les fesses à l'air, dans une chemise bleue d'hôpital.

— Que s'est-il passé au juste?

— Vous avez eu un malaise.

S'il y a une chose que je déteste, c'est quand les médecins nous prennent pour des imbéciles. Ce n'est jamais clair avec eux. Comme s'ils avaient peur qu'on leur vole leur emploi s'ils nous expliquaient plus précisément de quoi relève notre problème. Je le sais, que j'ai eu un malaise. Je ne suis pas ici pour refaire la décoration de ma salle à manger ! Pourquoi ce besoin de se montrer supérieur ? Tu as fait de grandes études, bravo ! Maintenant, dis-moi ce que je fais ici.

Je me calme.

— Et maman ?

— Ne vous énervez pas. Vous la verrez bientôt.

De l'autre côté, Anna fait les cent pas en se rongeant les ongles. Ce n'est pas dans ses habitudes. Elle doit vivre un stress intense. L'homme en sarrau blanc a mis un temps fou avant de m'ausculter, pour finalement me redire tout ce que je savais déjà.

Une bonne heure plus tard, on me conduit au quatrième étage en fauteuil roulant. On traverse le long corridor, puis on passe tout droit devant la chambre 422, où a été enlevé le nom de Marguerite Porter, à côté de la porte.

— Où allons-nous ?

Anna arrive au pas de course derrière nous.

— Dans le grand salon.

Le grand salon est l'endroit de réunion des patients semi-autonomes et de leur famille. Je le sais pour m'y être arrêté souvent afin d'observer les petites familles qui y discutaient pendant de longues heures ou y jouaient aux cartes. Malheureusement, c'est aussi l'endroit où le médecin convoque les familles afin de leur annoncer le pire. Les quatre murs beiges de la pièce ont entendu bien des hurlements et des pleurs. Cependant, ils ont aussi perçu les soupirs de soulagement lorsque les nouvelles étaient bonnes.

— Est-ce que je peux vous suivre ?

— Bien sûr que oui, madame.

Anna redouble la cadence. Même si l'inquiétude plisse son front, je suis incapable de lui dire quoi que ce soit. Elle le saura bien assez vite.

Le grand salon est bondé. Tout le monde semble heureux, sauf un couple dans la trentaine qui veille sur un papa mourant. Ils n'auront pas autant de chance que moi. Au fond de la pièce, tout le personnel du quatrième étage est réuni. C'est normal, après les six mois d'absence de leur patiente. Cela relève du miracle. Entre deux blouses blanches, je l'aperçois.

Assise bien droite dans son lit d'hôpital, elle est là. Bien vivante.

Tout ce qui me passe par la tête, ce sont les commentaires des gens qui m'ont dit qu'il serait préférable de cesser d'y croire. De toutes mes prières, la seule que je souhaitais vraiment voir s'exaucer un jour, c'était celle-ci. Je pourrai réentendre la voix de ma mère avant de mourir.

J'aimerais me lever et courir vers elle comme un enfant qui saute dans les bras de son papa soldat revenu de l'Afghanistan. Or, c'est impossible. Mes jambes ne me le permettent pas encore. Ce n'est pas faute d'avoir essayé. J'ai encore une fois failli me retrouver au sol.

Je prends mon mal en patience. À l'aide de mes pieds, j'aide l'infirmière qui pousse mon fauteuil roulant afin de me rendre plus vite à ma mère. Je comprends alors pourquoi l'endroit s'appelle le « grand salon ». On dirait qu'il fait un kilomètre de long.

Les larmes aux yeux, Anna et moi arrivons devant la miraculée.

— Maman…

Anna s'assoit, ébranlée, sur un petit fauteuil qu'un infirmier vient tout juste de glisser à ma droite. Le silence pèse lourd. Pas un mot. Je sais qu'elle est là. Une larme qui descend au ralenti sur sa joue en témoigne, mais elle ne parle pas. Les points d'interrogation que j'ai dans les yeux suffisent à faire comprendre à l'infirmier que j'ai besoin d'explications.

— Votre mère a subi un traumatisme grave. Il lui faudra un certain temps avant de se remettre à parler et à fonctionner. L'important, c'est que vous soyez là pour elle, comme vous l'avez été tous ces derniers mois. Continuez à lui parler. Ne vous arrêtez pas. Elle entend et comprend tout ce que vous dites.

— Combien de temps cela peut-il prendre ?

— Des jours, des semaines, même des mois… seul l'avenir nous le dira.

— Mais je ne peux pas attendre…

— Malheureusement, il le faut.

En reniflant, je réussis à me lever, de peine et de misère, pour rejoindre maman et m'allonger près d'elle, dans son lit. Comme un enfant qui cherche le réconfort auprès de sa mère. Moi qui croyais pouvoir entendre à nouveau le son de sa voix. Je fais signe à Anna de s'approcher. J'ai besoin de sa main rassurante. Elle tire doucement sa chaise pour ne pas faire trop de bruit. Elle se glisse tout près de moi.

De chaque côté de moi, j'ai les deux femmes les plus marquantes de ma vie. Pendant de longues heures, j'entretiens une conversation à sens unique. Anna confie à sa belle-mère à quel point celle-ci lui a manqué. Pour être franc, cet intense moment de retrouvailles, je ne l'espérais plus. Toutefois, le sablier s'est écoulé et il nous faut partir. J'aurais voulu y passer la nuit. Je reviendrai tous les jours de la semaine, maintenant que je sais que Marguerite pourra enfin voir les fleurs que je lui apporte.

Le personnel la transfère au troisième étage, dans la chambre 340. Sur sa table de chevet, je dépose l'oiseau du paradis que m'a donné Jérémie. La fleur commence à trouver la journée longue.

Avant de nous quitter, les médecins se font rassurants. Il ne devrait pas y avoir de graves séquelles, au final. Peut-être quelques écarts de comportement dus au choc post-traumatique.

— Votre mère vient de sauter presque deux saisons. Le décalage peut parfois être difficile à accepter. Mais chaque individu vit le réveil différemment. L'important, c'est qu'elle soit revenue.

Après un autre baiser sur le front, une dernière caresse sur sa blanche joue, Anna et moi lui tournons le dos et nous dirigeons vers la porte, exténués. Tandis que je mets la main sur la poignée froide de sa chambre, un autre miracle arrive. Un miracle râlant.

— Grégoire…

C'est tout ! Et c'est suffisant pour que le cœur me sorte de la poitrine. C'est le seul mot qu'elle prononce. De sa voix rauque et endormie depuis longtemps. Elle est consciente. Elle n'a jamais accepté de m'appeler Greg, comme tout le monde. Elle détestait qu'on raccourcisse mon nom.

Le son de sa voix restera gravé dans ma mémoire pour le reste de mes jours.

Dans le stationnement, à peine nous assoyons-nous dans la voiture qu'Anna s'endort à mes côtés, sur le siège passager. Elle a l'air d'un bébé. Moi, je suis aux anges. Dans ma tête, un petit « Grégoire » repasse en boucle. C'est probablement une des journées les plus éprouvantes de ma vie. Au-delà de celle de mon mariage, de mes examens comptables et de tout autre événement majeur. J'espérais tellement revivre ça avant de mourir.

Avant de reprendre la route, j'envoie un texto à Lucas, qui a eu lui aussi une journée forte en émotions.

Moi : Je m'excuse d'être parti si vite.
Ma mère est réveillée. C'est un miracle !
Je suis convaincu que Catherine y est pour
quelque chose. J'espère que tu vas bien.
Embrasse Jérémie pour moi.

Lucas : Une âme s'en va
et une autre revient.
Je suis tellement content
pour toi. Merci d'avoir été
là pour moi aujourd'hui !
Je ne l'oublierai jamais...

Moi : Rien de plus normal.
Je serai toujours là !

— *Je t'aime déjà !*

Wayan sourit, puis nous tend les deux cafés qu'il a récupérés pour nous. Il se doutait bien que la nuit avait été courte et mouvementée.

— *C'est le meilleur café qui soit. Il provient d'une plantation à Ubud, au nord de Denpasar. Je vous y emmènerai demain !*

— *CHUT ! Il ne connaît pas notre itinéraire. C'est une surprise !*

— *Pardon, madame.*

— *Ce n'est pas grave, ne t'en fais pas !*

— *Une plantation de café ?*

— *Greg !*

On monte à bord de la voiture.

— *Est-ce que je peux savoir où on va ?*

— *Au paradis, Greg !*

Le paradis n'est pas très loin de nous. À peine trente kilomètres. Dans une heure, nous y serons. Le temps de profiter du paysage. La JI. Sunset Road porte bien son nom. Le paysage y est aussi beau qu'un coucher de soleil.

On longe la côte ouest de Bali pour se rendre jusqu'à Tanah Lot, ce qui signifie «Pays de la mer». C'est un petit îlot à la merci du battement des vagues, sur lequel se trouve un magnifique temple hindouiste. Il est parmi les attractions les plus populaires de l'endroit. Même si les gens ne s'y rendent pas nécessairement pour se recueillir, il n'en demeure pas moins un lieu de culte.

Le Pura Tanah Lot.

Wayan connaît tout de l'histoire du temple.

— On raconte qu'il serait l'œuvre d'un prêtre. Nirartha. Il aurait découvert ce magnifique îlot rocheux au cours d'un voyage et aurait décidé de s'y installer.

— Il a construit ce temple lui-même?

— Des pêcheurs l'ont aidé. Il trouvait que c'était le lieu parfait pour l'adoration du dieu de la mer. L'endroit est protégé des mauvais esprits et des êtres malveillants.

— Par des caméras?

Tu me frappes la poitrine en riant. Le manque de sommeil me fait dire n'importe quoi...

— Excusez-moi, Wayan. Continuez!

— Il est protégé par des serpents géants créés avec l'écharpe de Nirartha.

— Évidemment, pourquoi n'y ai-je pas pensé!

En arrivant devant l'îlot en question, nous sommes éblouis.

— Greg, c'est extraordinaire ici.

— Je t'avoue que je doutais un peu, en route, mais je dois l'admettre. C'est grandiose.

Les vagues viennent se fracasser au pied de l'îlot. La beauté du paysage me fait oublier le harcèlement des commerçants, qui ne feront pas d'affaires en or avec moi aujourd'hui. Je sors la caméra de mon sac pour commencer à filmer. Tu dois avoir des souvenirs de chaque endroit que l'on visitera au cours des prochains jours.

— Wayan, est-ce que vous pourriez nous photographier, s'il vous plaît ?

— Bien sûr.

Je suis déjà impatient de voir le reste.

— Où allons-nous maintenant ?

Wayan te regarde pour obtenir ton approbation. Tu acquiesces d'un petit signe de tête.

— Nous allons à Ubud.

— La plantation de café ?

— Entre autres !

Tu souris…

— Bravo ! Wayan, vous avez bien appris la leçon !

18

— Bonsoir, mademoiselle, votre meilleure table pour quatre personnes, s'il vous plaît !

— Greg, tu n'as pas à faire ça.

— C'est vrai, tu es complètement fou. Ça coûte les yeux de la tête ici. Un casse-croûte aurait très bien pu faire l'affaire !

— J'ai faim !

Je lui tends la main pour qu'il tape dedans.

— Lui, il a compris.

— Jérémie, s'il te plaît…

L'enfant se calme.

— Stop ! Je ne veux rien entendre. Laissez-moi faire. On s'apprête à vivre une expérience culinaire. Vous allez voir.

La Vieille Table est un des restaurants les plus prisés de Montréal. Pour avoir une réservation, on doit s'y prendre des mois à l'avance ou mettre la main à son portefeuille, ce que j'ai fait ! Tout autour, sur les murs, on peut remarquer les photos de plusieurs artistes, acteurs et personnalités connues partout à travers la planète. Renommé pour son menu diversifié et son incommensurable cave à vins, le restaurant fait l'envie de tous les épicuriens.

L'endroit est bondé de clients. Le propriétaire fera encore des affaires en or aujourd'hui. On peut facilement estimer la recette pour la soirée à deux cents dollars par personne, sans exagérer et sans compter l'alcool.

À la file indienne, Anna, Lucas, Jérémie et moi nous dirigeons vers notre table.

Je me sens bien. J'ai l'impression d'être en famille.

J'ai choisi pour eux le meilleur endroit qui existe en ville, une institution. Un accord mets et vins parfait et un service impeccable. Les odeurs se mélangent. Affamé ou pas, on ne peut s'empêcher de saliver. Aujourd'hui, c'est une occasion spéciale. Personne ne le sait encore, sauf moi. Ce n'est pas une journée comme les autres.

Un serveur arrive. Un petit blond aux yeux bleus, imberbe, fier de sa personne, avec un physique de professeur de plongée et un petit accent londonien par-dessus le marché. Il tire le fauteuil d'Anna en lui expliquant que Michael Jackson a un jour mangé du caviar, assis sur ce même fauteuil. Elle rougit et s'assoit en caressant le siège. Avec l'innocence d'une fillette de quatre ans, elle y croit.

— Vous êtes magnifique, mademoiselle !

Elle le remercie en baissant les yeux, visiblement gênée par autant d'attention.

— C'est ma femme.

Je l'ai quand même dit en souriant pour ne pas créer de malaise. Anna me regarde avec fierté, la mine réjouie. Je croyais qu'elle serait fâchée de mon commentaire inadéquat. Je lui fais un clin d'œil séducteur.

— Je m'appelle Tom, réplique le serveur de sa petite voix qui ne semble pas encore avoir mué. Je suis en couple avec le même garçon depuis trois ans, bafouille-t-il en souriant avec un petit regard évocateur, question de me faire comprendre qu'il n'y a aucun danger et que, au contraire, c'est Anna qui devrait s'inquiéter pour moi.

— C'est un plaisir, Tom.

— Est-ce que je peux vous servir quelque chose pour commencer? Un apéro ou un verre de vin? Nous avons la plus grande cave à vins de Montréal. La carte se trouve juste devant vous, au centre de la table.

— La carte des vins est aussi épaisse que le bottin téléphonique de Montréal. Nous n'avons pas de temps à perdre avec ça. Apportez votre meilleure bouteille, une de vin blanc et une de vin rouge, s'il vous plaît. Demandez donc au jeune homme ce qu'il a envie de boire, aussi!

Il s'approche de moi doucement. Il est raffiné dans ses mouvements. En mettant sa main sur mon épaule, il me dit tout bas:

— Monsieur, je dois vous dire que nos meilleures bouteilles peuvent se détailler dans les trois ou quatre chiffres.

Je lève les yeux vers lui. Mon regard veut tout dire : « Ai-je l'air d'avoir travaillé toute ma vie pour être incapable de me permettre une bouteille à cinq cents dollars ? Tu crois que je n'en ai pas les moyens ? »

— Et alors ?

Pas besoin d'en dire plus pour que Tom se redresse et reparte en gambadant. Il est probablement déjà en train de calculer le montant de l'addition et le pourboire en découlant. Il rêve en silence à ses prochaines vacances au bord de la mer.

— Donc ce sera un rouge, un blanc et un grand verre de lait !

Une compilation de musique d'ascenseur joue depuis notre arrivée. Ce n'est pas ça qui va faire lever le *party*.

Tom revient quelques secondes plus tard avec un verre de lait si grand que Jérémie a du mal à le prendre d'une seule main.

— Tu vas boire tout ça ?

— Oui, oui !

Il est craquant. Je voudrais l'adopter. Anna et moi avons eu une longue discussion à ce sujet. On a bien l'intention d'offrir notre aide à Lucas pour s'occuper de Jérémie. Il a quelque chose de spécial.

— Alors… Comment va ta mère ?

— Bien, je suppose. C'est un miracle que j'aie pu entendre le son de sa voix.

— Qu'est-ce qu'elle t'a dit ?

— Elle n'a fait que prononcer mon prénom. Je sais que ce n'est pas la fin du monde, mais pour moi, ça l'est.

— C'est incroyable !

Tom met brusquement fin à notre conversation, pour une bonne cause. Je lui fais signe de déposer le seau de glace et la bouteille de blanc tout près d'Anna. Un Château Pape Clément 2013 ruisselant, juste pour elle. Il dépose également un Château L'Évangile 2001 entre Lucas et moi.

— Amen !

— Ça, ça ne goûte pas le vin de messe !

Nous trinquons à la vie et à l'amour. Le temps se fige. Nous buvons une, puis deux bouteilles, dont ni le prix ni la qualité ne diminuent. L'alcool aidant, je décide que le temps est venu de faire la grande annonce. La raison pour laquelle je nous ai rassemblés ici, ce soir.

— Je demanderais une minute de silence, s'il vous plaît. J'ai quelque chose à vous dire.

Les fous rires cessent sur-le-champ, laissant place à trois paires d'yeux intrigués, me regardant.

— Lucas, on se connaît depuis peu et je dois t'avouer qu'au début j'avais un peu d'appréhensions à ton égard.

— Bon ! Est-ce que…

— Minute, je n'ai pas fini ! Au début, tu m'énervais à chaque question que tu posais sur le fonctionnement du télécopieur. Mais, peu à peu, je me suis attaché.

— Tu ne vas pas me demander en mariage, Greg ?

Sur ces belles paroles, je glisse la main dans mon sac de cuir et j'en ressors une pile de papiers entourée d'un ruban de soie rouge. Jérémie retourne à son verre de lait, se désintéressant déjà de notre conversation. La curiosité dans les yeux d'Anna et de Lucas se transforme en immenses points d'interrogation.

— C'est un autre genre de contrat, Lucas.

Il empoigne le document que je lui tends. En couverture, un logo en or où on peut lire : Porter & associé.

— Qu'est-ce que c'est, Greg ?

— Prends le temps de le lire et d'y réfléchir.

— Je devrais m'inquiéter ?

— Non, au contraire. Je voudrais que tu deviennes mon associé, Lucas.

— Ton associé ? Je viens tout juste de commencer à travailler pour toi...

Subjuguée, Anna me regarde en se demandant évidemment pourquoi je ne lui en ai pas parlé. J'ai pourtant bien réfléchi à la situation actuelle. Je ne prends jamais de décision sur un coup de tête. Il y a déjà trop longtemps que je gère tout seul cette entreprise. Il est temps pour moi d'honorer la seconde partie de son titre, « & associé ».

— Je veux avoir plus de temps. Je dois déléguer. Lucas, je crois que tu es la personne qu'il me faut. Tu auras un pouvoir décisionnel au sein de l'entreprise et un meilleur salaire, bien entendu. Tu n'auras aucun investissement à faire. Je parle seulement d'une association qui sera bénéfique pour toi et moi. Tu m'as mentionné que tu aurais à te serrer la ceinture pour subvenir aux besoins de

Jérémie tout seul, eh bien, ce poste te faciliterait la vie.

Il baisse la tête, ébranlé par ma proposition.

— Prends le temps de penser à tout cela, mais le temps presse, quand même… Maintenant, je lève mon verre à l'amitié !

Lucas remet le document précieux dans le sac de cuir, que je lui offre par le fait même. En se grattant la tempe, il avale une grande gorgée de vin. Il secoue la tête, un peu éméché. Une fois l'effet de surprise estompé, la fête reprend. Je crois bien qu'Anna est heureuse de ma décision. Elle devait seulement avaler la pilule. Je devais faire le grand saut de toute façon. Elle sait mieux que quiconque le temps démesuré que je consacre à tout gérer moi-même depuis des années. La vie est bien plus précieuse que tout cela.

> Moi : Je viens de prendre une décision qui va changer ma vie.

> Patricia : Ah oui ?

Moi : Je dis « changer ma vie »...
Je ne sais même pas ce
que c'est qu'une vie, en fait. J'ai légué
une bonne partie de mon entreprise.

Patricia : J'espère que
ce sera pour le mieux !

Moi : Je crois bien que
oui. L'avenir nous le dira.

Patricia : Que penses-tu faire de tout
le temps que tu auras maintenant ?

Moi : Je pensais t'inviter au restaurant.

Patricia : Est-ce une
invitation officielle ?

Moi : Je crois bien.

Direction Ubud

— *Il fait chaud, Wayan. Est-ce que nous avons beaucoup de route à faire ?*

— *Pas vraiment, monsieur. Dans moins d'une heure, nous y serons.*

La fenêtre baissée, on sillonne les routes caho-teuses en direction d'Ubud.

— *Faire une heure de route pour visiter une plantation de café, ce n'est pas vraiment mon truc. J'espère que ça en vaudra le coup.*

— *Tu vas voir, c'est le meilleur café au monde. Il se vend à environ cinquante dollars par tasse. Il ne faut pas s'arrêter à penser que c'est presque plus cher que le salaire hebdoma-daire d'un Balinais.*

— *Nous ferons une petite escale, si vous le voulez bien. Ce n'est pas prévu dans l'itinéraire, mais vous verrez, c'est magnifique, dit Wayan.*

Au lieu de suivre la direction de Pujung Kelod Village, on bifurque vers Tegalalang.

J'espère franchement que le détour en vaudra la peine. La chaleur est si intense, j'ai du mal à endurer l'humidité du cuir de mon dossier qui me colle dans le dos.

Je décide de faire confiance à Wayan. Il connaît Bali comme le fond de sa poche.

Je dois avouer qu'en arrivant à l'aéroport de Montréal, au moment où j'ai enfin connu ma destination, j'ai fait des recherches sur Internet pour y découvrir le paysage. Sur photo, ça avait l'air grandiose. Toutes ces rizières, tous ces temples. Et le plus souvent, les photos ne rendent même pas justice à la grandeur d'un paysage.

Voilà que je me retrouve maintenant en chair et en os devant la première photo de carte postale qui m'est apparue lorsque j'ai tapé « Bali » dans le moteur de recherche. L'air est humide. Tout ce qu'on entend, c'est le bruit d'un scooter qui dévale les étages d'une magnifique rizière. On en a croisé quelques-unes en route, mais pas comme celle-là. En voyant les images sur mon portable, à l'aéroport, je m'étais dit que les photographes parviennent toujours à embellir l'endroit et à le rendre plus impressionnant selon la prise de vue. Pas ici. Aucune photo ne pourra reproduire fidèlement le cadeau qui se trouve devant nos yeux ébahis. C'est tout simplement sublime.

— Bravo, Wayan, ça valait vraiment le détour !

Vu le petit sourire timide qu'il me retourne, j'en déduis qu'il n'est pas à l'aise avec les compliments.

Wayan fait signe de la main à un jeune garçon qu'il semble connaître.

— Je vous présente mon fils. Il vous guidera pour une courte visite de la rizière.

— La pomme n'est pas tombée loin du pommier, Wayan. Enchanté, fiston.

Le garçon nous tend deux bâtons de marche, essentiels pour traverser les immenses terrasses d'herbes d'un vert parfait sur lesquelles pousse le riz. Des gens y travaillent, agenouillés. D'autres y marchent, difficilement, tenant sur leurs épaules une perche dont les extrémités sont pourvues de gros paniers. La tâche semble ardue. C'est un travail colossal. Une simple visite en ces lieux nous permet d'apprécier ce qu'on a dans nos assiettes, même si le riz qu'on mange ne provient pas nécessairement d'ici.

On déambule parmi les petits paniers d'offrandes que les habitants déposent. On entend des canards et des oies, qui se font un festin avec les insectes qui sont nuisibles à la plantation de riz.

— C'est vraiment tranquille, aujourd'hui ! Vous êtes chanceux.

Le jeunot, bien volubile pour son âge, nous explique que l'endroit est devenu un des lieux les plus prisés par les touristes de Bali, pour sa beauté.

On monte jusqu'à la forêt de palmiers qui surplombe l'endroit. La vue, de là-haut, est à couper le souffle. Par politesse, on demande la permission de prendre une photo, en échange de quelques dollars.

J'y aurais passé la journée, mais on doit poursuivre notre visite.

— Vous n'avez rien vu, dit Wayan.

19

L'odomètre indique soixante-douze kilomètres-heure… Sur l'autoroute, je sais, c'est un peu exagéré. J'ignore tous ceux qui me dépassent par la gauche en me regardant comme si j'étais un centenaire se rendant à la messe. Machinalement, je jette un léger coup d'œil dans mon rétroviseur toutes les dix secondes pour m'assurer que tout va pour le mieux. Les deux mains sur le volant, je conduis aussi prudemment qu'un adolescent en plein examen pour obtenir son permis de conduire.

— Est-ce que tout se passe bien derrière ? Avez-vous chaud, froid ?

— Tout va bien pour moi, merci !

D'un petit signe de tête, même si elle a retrouvé la parole, Marguerite acquiesce. Elle devine tout de même, grâce à son intuition de mère, que j'aimerais vraiment l'entendre le dire.

— C'est le bonheur, Grégoire. Je prendrais bien un peu de musique. Tu peux allumer la radio ?

Le simple son de sa voix me fait sourire. Évidemment, elle est éraillée. Mais, au moins, elle est audible. J'appuie sur le bouton de la radio, et les premières notes de *Say You, Say Me,* de Lionel Richie, se font entendre dans l'habitacle. C'est sa chanson préférée. Je remercie le ciel de ce simple moment de grâce. La vie est bien faite.

Par le rétroviseur, je la vois balancer la tête de tous bords, tous côtés. Dieu, qu'elle est belle ! Je m'avance pour diminuer le son de la radio pour lui parler. Elle me tape sur l'épaule.

— Après la chanson !

Tous les trois, le sourire fendu jusqu'aux oreilles, on chante à tue-tête les paroles qu'on connaît par cœur, jusqu'à la fin.

En tournant dans la rue des Jonquilles, je sens son regard se noircir un brin. Les gros nuages s'installent tranquillement. C'est pourtant elle qui m'a supplié de l'y amener.

— Est-ce que tu es certaine que c'est bien ce que tu veux ?

— Oui, je suis certaine, Grégoire. Quand on tombe de notre monture, il est important de se remettre en selle le plus rapidement possible. Après tout, ce n'est qu'une maison.

Elle est assez vieille pour prendre ses propres décisions, mais je ne suis toujours pas convaincu que c'est une bonne idée de revenir si tôt sur les lieux du crime.

En arrivant devant le 4250, nos yeux se remplissent instantanément. La simple vue de l'escalier en colimaçon nous terrifie. L'enseigne du courtier immobilier est installée depuis deux semaines.

Personne n'a téléphoné encore, évidemment. Ce n'est pas du tout le bon moment de l'année pour vendre une maison. Encore moins si elle a l'air abandonnée. Un rafraîchissement s'impose.

— Nous n'y serons pas longtemps. Le temps de ramasser quelques affaires et on te ramène chez nous.

Maman a raison. Il faut affronter nos peurs dans la vie et remonter à bicyclette malgré les éraflures aux genoux et le mercurochrome sur les blessures. Mais après plus de six mois de coma, c'est différent. On longe le mur du côté, question d'éviter le pire. Plus jamais elle n'empruntera l'accès avant de la maison. Je le lui ai formellement interdit.

Elle sort de sa poche un porte-clés en forme de marguerite. Elle prend une grande inspiration, insère la clé dans la serrure et ouvre la porte. Une vague de souvenirs nous gifle en plein visage. L'intérieur de la maison est intact. Tout est resté en place. La seule nouveauté, c'est l'odeur de mort qui s'en dégage. Nous devrons aérer avant la première visite, sinon nous ferons fuir tout acheteur potentiel.

Sur la table de la cuisine, la tasse que je lui ai offerte à la fête des Mères lorsque j'avais douze ans. J'avais cassé mon petit cochon pour la lui offrir. Elle l'a toujours gardée. Elle s'empresse de l'enfouir dans son sac à main, pour être sûre de ne pas l'oublier.

— Dis-moi ce que tu veux emporter, et je le ferai pour toi.

— Il y a tellement de choses auxquelles je me suis attachée ici. Je ne pourrai pas tout emporter avec moi. Je prendrai l'essentiel.

Anna s'empresse d'ajouter :

— Vous aurez tout l'espace que vous désirez chez nous, Marguerite. Nous avons assez de rangement pour loger trois maisons comme celle-ci. Ne vous en faites pas avec ça. Prenez tout ce que vous voulez.

C'est tout de même incroyable…

Hier soir, j'ai reçu un appel du médecin spécialiste qui s'occupe de ma mère. Il m'a annoncé que les résultats des tests cognitifs se sont révélés encourageants, plus rapidement qu'il le prévoyait. Elle était prête à quitter l'hôpital. Ils m'ont bien averti que, même si elle est assez autonome, il fallait tout de même qu'elle ait quelqu'un tout près en permanence.

En raccrochant le téléphone, je suis descendu au sous-sol, j'ai vidé le bureau que j'y avais aménagé. Fini le travail à la maison pour moi. Dès demain, on repeindra de la couleur de son choix, j'installerai ses rideaux et ses étagères. Elle y sera à son aise, et je l'aurai près de moi pour de bon. Désormais, ce sera avec un grand sourire que je me pointerai chez Rose, le samedi matin, pour acheter le plus beau bouquet afin d'enjoliver et d'embaumer son espace.

Un à un, je décroche les cadres pendant qu'Anna s'occupe des vêtements, qui auront besoin d'un bon tour de laveuse. Nous jetons un paquet de vieilleries qui ne serviront plus à rien.

Pendant des heures, on rapatrie les objets de valeur sentimentale que maman a accumulés au fil des années. Demain, un camion viendra chercher tout cela pour les apporter chez nous. Elle y sera comme chez elle.

C'était non négociable. Je la connais. Elle aurait préféré s'en aller en résidence plutôt que d'avoir l'impression de nous déranger. La discussion n'a duré que trois secondes. Nous lui avons préparé un petit coin, où elle pourra s'installer à son aise et faire tout ce qu'elle veut. Elle s'est occupée de moi toute sa vie, maintenant, c'est à mon tour. C'est le retour du balancier.

Je pense bien qu'Anna est encore plus heureuse que moi de l'accueillir à la maison.

Elles passent des heures à discuter ensemble, à rattraper le temps perdu. Les fous rires fusent à tout moment. Dans ma chambre d'enfant bleu ciel, qui est restée exactement dans l'état où je l'avais laissée, elles font le tour de tous les albums de photos qui contiennent les souvenirs heureux de mon enfance. La vieille bibliothèque qui servait aussi de tête de lit en déborde. Appuyé sur le cadre de porte en bois de grange, je les regarde et j'apprécie le spectacle. Elles ne me remarquent même pas tellement elles sont occupées à rire de mes accoutrements de l'époque. D'une boîte en carton que j'avais fabriquée moi-même, Anna sort un vieux bout de tissu dans lequel j'avais enveloppé la première dent que j'ai perdue, ne croyant pas en cette fée qui les achetait, apparemment.

Défilent ensuite une mèche de cheveux, un diplôme de mérite scolaire en mathématiques, un bulletin froissé, des crayons, quelques coquillages que j'avais ramassés avec maman au bord de la mer, à Old Orchard… Que de beaux souvenirs.

Ils me reviennent en mémoire chaque fois qu'un objet surgit du coffre aux trésors.

Je m'approche de quelques pas pour entrer dans la chambre, qui me paraissait immense dans ma jeunesse, mais qui me rendrait claustrophobe aujourd'hui. Mes vieux os craquent lorsque j'essaie tant bien que mal de m'installer par terre, entre les deux femmes de ma vie. Le silence n'est pas lourd du tout, au contraire. Il laisse place aux rêveries d'enfance, qui flottent encore et toujours dans cette pièce. La tête appuyée contre le rebord du lit, je fixe les étoiles fluorescentes que j'avais collées au plafond de stuc jauni par le temps et qui a été témoin de mes amourettes d'adolescent.

— Je vous aime.

La couverture sur mon lit me replonge dans cette période où je suis devenu un homme. Elle est imprégnée de toutes ces nuits d'insomnie, que je passais à vouloir toucher le ciel et refaire le monde. Il faut savoir jouir des beaux moments de la vie, des miracles. Ce que je vis en ce moment en est un.

— Grégoire, j'ai quelque chose à te montrer.

Marguerite se lève et quitte la chambre un instant pour revenir avec un petit coffre à bijoux. Celui-ci est verrouillé à double tour. Je le sais, j'ai souvent essayé de l'ouvrir durant ma jeunesse.

Elle le cachait au fond d'un tiroir de sa commode. Je me suis toujours demandé ce qu'il contenait. Quand on est enfant, c'est intrigant de se retrouver devant l'interdit.

— Qu'est-ce que c'est, maman ?

— Tu vas voir.

Elle sort de sa poche une toute petite clé qui me rapproche de plus en plus du mystère. Une fois la boîte ouverte, une ballerine se met à tournoyer sur l'air d'*Edelweiss*. Le coffre semble vide.

— Veux-tu qu'on le prenne avec nous ?

— Attends, Grégoire !

À l'aide de sa clé, elle soulève le fond du coffre en velours rouge, où se terre un des secrets les mieux gardés de tous les temps.

De sa petite main tremblante, elle saisit une photo et me la donne.

— C'est ton père. Il est décédé dans un accident de voiture alors que j'étais enceinte de toi.

— Maman…

— Je sais, je suis désolée. S'il avait fallu que je parte en emportant ce secret avec moi dans ma tombe, je m'en serais voulu pour l'éternité. C'est pourquoi je t'en parle aujourd'hui. Je n'ai jamais trouvé la force de le faire avant.

J'ai l'impression de retrouver la pièce manquante d'un casse-tête que je n'espérais même plus finir un jour. Était-ce vraiment nécessaire ? Je ne crois pas. Il ne me manquait pas. Je m'étais habitué à le détester en silence pour avoir abandonné ma mère.

Je retourne la photo pour lire ce qu'on y a écrit.
Rosaire.

— C'est son nom ?

— Oui.

— Tu l'aimais ?

— J'en étais follement amoureuse.

Anna est émue.

— Tu lui ressembles, Greg.

Pourquoi ne m'a-t-elle jamais parlé de lui ? Je la regarde et me demande si elle a été heureuse quand même. Pourquoi n'a-t-elle jamais voulu refaire sa vie avec un autre homme après lui ?

Je m'appuie sur les genoux de ma mère, le sable remonte dans le sablier. J'ai dix ans à nouveau. Je revis ces moments où elle me caressait les cheveux pour me consoler quand ça n'allait pas. On pleure ensemble, puis on se relève. Comme elle me l'a toujours enseigné.

On prend tout ce qui peut se loger dans l'étroit coffre de ma voiture, et on rentre, après de douces heures de nostalgie. Je ramène à la maison mes deux femmes, assises sur la banquette arrière de ma voiture. Marguerite s'endort, épuisée. Anna me fixe dans le rétroviseur. Je lui fais un clin d'œil en guise de remerciement. Elle me sent heureux. Il y a quelque chose dans l'air. Quelque chose de magique.

⧗

Moi : Alors, on se voit bientôt ?

Patricia : J'aimerais beaucoup aussi !

Moi : Est-ce un « oui » officiel ?

Patricia : Et ta femme ?

Moi : On ne couche pas ensemble, à ce que je sache, toi et moi !

Patricia : Je sais, mais je suis tellement irrésistible ! ☺

Moi : Laisse-moi donc en juger par moi-même. Je peux choisir l'endroit ?

Patricia : Pourquoi pas...

Une trentaine de minutes plus tard, on reprend la route vers le nord pour se rendre à Pujung Kelod Village. Là-bas, nous visitons le lieu de fabrication du café le plus cher au monde. Le *kopi luwak*.

Je ne comprends presque rien de toute la visite. Ce n'est pas le genre de chose qui m'intéresse. Mais j'y bois un des meilleurs cafés de ma vie.

— Tu sais ce que tu viens de boire ?

— Ça goûte le bon café !

— Le luwak, c'est un petit rongeur qui dévore les plantations de café. Le grain de café est récupéré des excréments de l'animal.

— Ce qu'on ne sait pas ne nous fait pas mal, dis-je en avalant difficilement ma dernière gorgée.

— J'espère que tu es prêt pour la suite !

— La suite ?

Il est 15 heures. Je croyais que la suite était la route vers l'hôtel. Pas avec madame.

— *Je sais bien que tu as plus ou moins apprécié la plantation de café. Nous ne finirons pas la journée sur une mauvaise note !*

J'oublie qu'il provient des excréments de civette et je prends un café pour emporter, question de survivre à la suite.

— *Tout le monde à bord. On n'a que quelques petites minutes de route à faire.*

20

Entre les deux, mon cœur bipolaire balance. Il faut que je sache pourquoi je m'accroche à toi comme à une bouée qu'on aurait balancée au beau milieu d'un océan. Ta réponse positive à mon invitation à dîner a rendu mon cœur léger et ma tête, de plus en plus lourde.

Et Anna...

Le printemps s'installe peu à peu. Il nous permet de sortir pour profiter des magnifiques rayons du soleil après que l'orage nous a barricadés à l'intérieur pendant des jours.

J'ai décidé d'offrir une journée de congé à tous mes employés. J'avais besoin de calme aujourd'hui. Le calme après la tempête. Depuis des semaines, je tends des perches dans l'espoir qu'un jour tu saisiras l'une d'entre elles et que tu accepteras enfin mon invitation. Maintenant que je sais qu'on va se rencontrer bientôt, je devrais être heureux, non ? J'ai eu ce que je voulais... Depuis le temps que j'attends ce moment.

En arrivant au bureau, je monte les grandes marches de béton qui mènent aux portes qui m'ont vu passer tant de fois, dans tous mes états, plus souvent dépressif que joyeux. Je suis un homme si différent que l'œil magique ne me reconnaît pas. Je fonce tout droit dans la porte. En temps normal, cela m'aurait rendu fou de rage. Je me serais brisé les jointures dans le mur de béton de l'immeuble. Mais je suis ce qu'on appelle un homme nouveau. Je garde mon sang-froid et souris bêtement aux témoins de la scène.

Par habitude, je traverse le corridor où se trouve l'ascenseur principal de l'établissement. Je rebrousse chemin et prends à droite, vers la cage d'escalier. Fini pour moi, l'ascenseur. Tout comme le café, que j'ai troqué contre du thé vert.

Le parfum qu'on respire ce matin est celui des produits nettoyants. C'est le grand ménage du printemps, déjà. De mon côté, je compte bien en faire un dans ma vie également. Il faut que je me rende à l'évidence…

Mon corps, lui, ne s'habitue pas au changement soudain. Je ne suis qu'à mi-chemin de mon ascension et ma chemise trempée me dit que la remise en forme est nécessaire. J'aurais dû y aller graduellement. En sueur, j'arrive au douzième étage. Mes jambes sont soulagées d'être enfin sur une surface plane. Je prends une pause pour retrouver mon souffle avant de me rendre à mon bureau.

Machinalement, je jette un coup d'œil rapide à mon écran d'ordinateur. Je n'ai aucun nouveau message. Déjà, je délègue. Lucas est mon homme de confiance maintenant. Le lendemain de notre souper bien arrosé, il s'est pointé dans mon bureau avec, en mains, les documents signés. Je me doutais bien qu'il allait dire oui. L'offre était bien trop alléchante.

Anna ne sait pas tout de notre entente. Je me suis assuré que Jérémie ne manque de rien jusqu'à ce qu'il ait dix-huit ans. Lucas m'a pris dans ses bras en pleurant. Il ne comprenait pas trop pourquoi je faisais tout cela. En voilà, une bonne raison ! Je recevrai deux fois moins de courriels par semaine et la gestion des dossiers sera tout aussi efficace. J'étais en train de perdre le contrôle. Je n'avais pas le choix. J'aurais dû le faire bien avant.

Je déplace hâtivement les nombreux documents qui encombrent mon espace.

J'enlève mes chaussures. Mes pieds me remercient.

Puis, bien installé devant mon ordinateur, je relis chacune de nos conversations, avec un petit sourire en coin. Dès les premiers instants, tu m'avais parlé de Bali. Je t'ai dit que j'avais toujours rêvé d'y aller aussi. Je t'ai même juré que j'allais t'y emmener un jour.

Si cela devait arriver, je devrai être en forme pour pouvoir te suivre.

Le mystère qui t'entoure est envoûtant. Peut-être que c'est ce que je recherche, au fond. L'intrigue, la nouveauté, l'excitation des premiers rendez-vous.

En fixant le sablier, trônant encore et toujours juste à côté de mon écran d'ordinateur, je rêve. Le sable qu'il contient m'inspire. À mon retour sur terre, j'enverrai un courriel à mon agent de voyages, question de vérifier combien pourrait coûter un petit séjour dans une villa, à Bali…

Avec toi!

Incroyable! Ça, c'est mon genre d'activité! On se dirige vers un parc, en bordure de la route, où Boris, notre éléphant, nous attendait, prêt à nous offrir une promenade de rêve.

Après lui avoir donné quelques tiges de bambou pour le nourrir, nous grimpons sur son dos. C'est impressionnant. Cette bête est immense et son poil est rugueux et inconfortable. Nos têtes frôlent les branches des arbres de la forêt où nous nous promenons. On a l'impression qu'on va réussir à toucher le ciel. Je ne peux pas m'empêcher de sourire tout au long de la balade.

— Merci.

— Pourquoi?

— Pour tout cela. Tu n'as aucune idée du bien que cela me procure.

— Je suis contente de l'entendre.

— Allez, Boris! Avance!

Je n'ai jamais pensé à faire une liste de choses à accomplir avant de mourir. Je trouve cela trop macabre. Mais si je l'avais fait, probablement que je n'aurais jamais eu l'idée d'y mettre une promenade à dos d'éléphant.

Pendant une heure, on s'est déplacés sur le gigantesque mammifère.

À bien y réfléchir, c'est la chose la plus étrange que j'ai faite jusqu'ici. Comme quoi, la vie me réserve encore des surprises.

— Est-ce que tu es fatigué ?

— Je suis comme neuf.

— Ce soir, nous dormirons dans un endroit très particulier !

21

— Allez, dépêche-toi. Nous serons en retard.

— J'arrive, oncle Greg.

Je rougis, mais je m'habitue. J'adore quand cet enfant m'appelle « oncle Greg ».

— Attache ta ceinture, s'il te plaît !

Anna se retourne pour lui tendre une barre de chocolat qu'elle sort de son sac à main. On ne fait même pas cela pour l'acheter. On est un peu gagas. On l'admet. Cet enfant est un ange.

Lucas nous salue de la main, de son balcon. Je lui ai promis de le prendre ni trop gros ni trop vieux. La dernière condition, mais non la moindre : il ne doit pas perdre son poil.

— Tu vas l'appeler comment ?

— Je ne sais pas encore. Je vais le savoir seulement quand je le verrai.

— Tu as raison. Greg et moi, on s'était dit que si on avait un enfant un jour on saurait son prénom en le voyant.

— Pourquoi vous n'avez pas d'enfant ?

— …

Anna se retourne et me regarde. Le volant entre les deux mains, je fais semblant de me concentrer sur la route pour ne pas avoir à affronter la question de Jérémie. Dans une situation comme celle-là, il est permis de changer de sujet subtilement comme seul un adulte a les aptitudes pour le faire. Mais pas avec Jérémie.

— Est-ce que tu sais quelle race de chien tu aimerais avoir?

— Pourquoi vous n'avez jamais eu d'enfants?

Il ne lâchera pas le morceau facilement. Comme un chien qui serre les dents sur son os, Jérémie s'accroche. Il le fera tant et aussi longtemps qu'il n'aura pas obtenu une réponse valable à ses yeux.

— C'est ma faute, Jérémie.

Anna me regarde, stupéfaite. Elle ne s'attendait sans doute pas à une réaction aussi vive de ma part. Elle s'attendait encore moins à ce que je prenne la responsabilité de ce choix.

— On aurait pu avoir un enfant. Il aurait ton âge aujourd'hui.

— Greg, est-ce vraiment nécessaire?

— Anna avait un bébé dans son ventre et je lui ai demandé de se faire avorter en prétextant que je nous trouvais trop vieux… La vraie raison, c'est que j'étais trop con. Je travaillais tout le temps et je ne voulais pas qu'elle élève notre enfant toute seule.

Toutes ces choses que je n'ai jamais été capable de dire en face à Anna, elle les entend aujourd'hui, en route vers l'animalerie. La vie expliquée à un enfant.

— La vérité, c'est que j'étais mort de peur. Je n'ai pas eu mon papa avec moi lorsque j'étais enfant. J'avais peur de mourir et de ne pas être là pour voir mon fils grandir. J'avais peur qu'il manque de quelque chose que je ne pourrais jamais lui offrir.

Je lâche le volant d'une main pour attraper celle d'Anna.

— Si c'était à refaire, cela se passerait autrement, mais il est trop tard.

Jérémie n'écoute plus depuis longtemps. Il est beaucoup trop occupé à s'empiffrer de chocolat. Je continue à m'adresser à lui pour parler à Anna. C'est beaucoup plus facile.

— Je crois que nous aurions eu un beau petit bonhomme, comme toi !

En pleurant, elle dit :

— Oh oui ! En le voyant, on aurait tout de suite trouvé son prénom.

— On l'aurait aimé…

— Grand Dieu qu'on l'aurait aimé !

Je lui donne un mouchoir que je sors de la boîte à gants. Son instinct maternel prend le dessus. Elle se tourne et le tend à Jérémie pour qu'il puisse essuyer ses mains souillées de chocolat.

Je lui dis tout bas :

— Tu aurais été la plus belle des mamans.

— Et toi, un père merveilleux. Mais je comprends mieux maintenant.

— J'aime cet enfant.

— Moi aussi, vraiment !

J'en connais un qui aura du mal à se contenir dans les prochaines minutes. Un dernier coin de rue et nous serons devant l'animalerie. Je passe ici tous les matins et je ne peux m'empêcher de regarder par la vitrine les petits museaux qui reniflent les doigts à travers les barreaux de cage.

— C'est une journée importante aujourd'hui, Jérémie. Tu deviens de plus en plus un homme.

— C'est vrai! Dès ce soir, tu auras de nouvelles responsabilités. Tu devras prendre soin d'un petit être vivant. Ce n'est pas rien. Est-ce que tu es prêt?

— OUI!!!!!

Nous savons tous les deux qu'il est prêt. Il est probablement plus mature que moi. Jérémie est déjà agenouillé devant une cage en émerveille-ment devant le plus beau petit chiot qui soit. Un jack russell. Exactement celui que j'aurais choisi. Je mets mon bras autour de la taille d'Anna et j'admire la scène.

— Prends ton temps, Jérémie, il faut le choisir comme il faut.

On sait pertinemment que c'est celui-là qui repartira avec nous. La première impression ne trompe jamais.

— Il a un œil de pirate. Je vais l'appeler Pirate.

— C'est un très joli nom, Pirate!

— Ce sont des chiens qui ont énormément d'énergie. Tu devras le promener tous les jours!

— Promis, oncle Greg.

On fait le tour de l'animalerie pour nous pro-curer tout ce dont Pirate, le nouveau membre de la famille, aura besoin et pour rendre notre petit homme heureux. La cage, la nourriture, les jouets, les couvertures, la laisse pour les promenades. Rien de trop beau. On ne fait pas les choses à moitié.

— On va le montrer à ton père?

— Oh oui!!!

Il me remerciera plus tard. Il est trop occupé pour le moment!

Sur le chemin du retour, Anna peut lire la satisfaction sur mon visage. Le simple fait de regarder dans mon rétroviseur et de voir Jérémie faire connaissance avec son nouvel ami me comble de bonheur. Je souris à voir Pirate essayer de grimper sur les épaules de Jérémie pour lui lécher les joues.

— Je te l'avais bien dit que tu aurais été un bon père.

Moi: J'ai encore mieux pour toi.

Patricia: Mieux que quoi?

Moi: Mieux qu'un dîner! Dis oui!

Patricia : Oui à quoi ?

Moi : À ma proposition.

Patricia : De quoi parles-tu ?

Moi : De Bali...

Patricia : Greg, est-ce que tu as bu ?

Moi : Non. Pourquoi ? Parce que j'ai envie de m'éclater ? Ma mère vient de rentrer à la maison. Ma femme est avec elle. J'ai besoin d'aller au bout de nous deux. Je dois comprendre ce qui m'arrive. On fera chambre à part, si tu préfères. J'ai besoin d'évasion.

Patricia : J'imagine la réaction de ta femme lorsque tu lui diras que tu pars en voyage avec une pure étrangère rencontrée sur Internet.

Moi : Ce sera un voyage d'affaires.

Patricia : Tu es fou.

Moi : Je lui dirai tout à notre retour, je te le jure. J'ai besoin de régler ça avant de mourir.

Patricia : Tu es fou !

Moi : Je sais. Demain, rejoins-moi au Vivaldi à midi. C'est au coin des rues Harvey et Millow. Prépare ta valise, au cas où... Surtout, n'oublie pas ton passeport.

Patricia : C'est sûr que tu es fou !

— Est-ce que je peux vous aider ?

— Nous avons une réservation pour ce soir au nom de Porter.

— Un instant.

C'est la jungle tout autour. On entend des gémissements et des cris provenant de l'extérieur. L'homme nous tend une clé et deux peignoirs.

— C'est la tenue de l'endroit ?

— Vous êtes attendus dans votre hutte !

— Dans notre hutte ?

On suit les indications pour découvrir l'endroit où nous allons passer la nuit. En pleine jungle, au cœur d'un milieu sauvage, on fait face à une ravissante maison de bois. La vue est à couper le souffle. Un vent léger fait danser les feuilles au-dessus de nos têtes. Un sentiment de paix m'envahit.

On entend le bruit de l'eau. Une rivière coule sans doute tout près de nous, emportant avec elle nos impuretés.

Je pense que les Balinais ont une bonne influence sur moi. Je commence à m'habituer à toutes leurs croyances spirituelles. En marchant, je récupère quelques branches, des cailloux et des feuilles tombées de leurs arbres.

— Tu fais le ménage ?

— Nous fabriquerons notre propre petit panier à offrandes ! C'est toi qui voulais qu'on se fonde à la culture balinaise.

— Si ça ne te dérange pas, nous le ferons après ceci !

Tu pousses la porte de notre hutte pour me montrer deux lits de massage installés sur un immense balcon donnant sur la fameuse rivière, qui crée à la fois un décor enchanteur et un merveilleux fond sonore. Juste de l'autre côté du cours d'eau, on peut voir une magnifique rizière, au pied d'une montagne. J'en déduis que c'est un volcan. J'aurai une heure pour m'en informer auprès des deux jolies demoiselles qui nous attendent, debout de chaque côté de nos lits.

— Je te sentais tendu tout à l'heure, dans la plantation de café ! Je me suis dit que cela te ferait le plus grand bien.

— Ce sera magique.

Moi qui croyais avoir envie d'entretenir la conversation, je suis incapable de dire un seul mot. L'avion, le stress des derniers jours et le manque de sommeil se sont jetés directement dans mes muscles endoloris.

— Vous aurez beaucoup de travail, mademoiselle.

— *Elles ne parleront pas, Greg. Tu devrais faire de même ! Elles sont là pour nous offrir un moment de détente.*

Pendant une heure, on se laisse pétrir sous la pression des mains habiles de nos assaillantes, en essayant de deviner de quel animal proviennent les sons stridents qui se faufilent à travers les branches. Entre les soupirs de soulagement et les respirations saccadées, on peut entendre le souffle court du silence qui se fait si apaisant. Nos pensées et nos rêves s'envolent, l'esprit se libère.

Au fond, c'est où, le paradis ? Chaque fois que je crois l'avoir trouvé, on m'en envoie un autre en pleine gueule sans que j'aie rien demandé. Serait-ce parce que le paradis, c'est avec toi ?

22

La sonnerie ne me réveillera pas ce matin. Je sais que ce n'est pas mon insomnie qui est de retour. C'est que je suis trop énervé. Je ne peux pas croire que c'est aujourd'hui enfin que je vais te voir pour la première fois, et je suis bien décidé à partir en voyage avec toi. Toute la nuit, j'ai essayé de t'imaginer. J'ai dessiné de mes doigts chacun des traits de ton visage. J'ai inventé la couleur de tes cheveux et ta façon bien à toi de les placer.

Dans moins de vingt-quatre heures, nous pourrions être tous les deux dans un avion. Avec les escales, nous aurions plus d'une journée complète pour apprendre à nous connaître.

Nous mettrions enfin le cap sur nos rêves virtuels.

Bien du temps s'est écoulé depuis le jour de notre première conversation. Personne ne pourra dire que je ne suis pas patient désormais. J'en ai fait ma vertu. J'essaie de ne pas trop m'emballer. Je le croirai seulement lorsque je serai dans la voiture, avec toi à mes côtés. Lorsqu'on nous aura confirmé qu'il est possible d'acheter des billets de dernière minute pour Bali et que le contrôleur s'efforcera d'afficher un sourire en nous souhaitant bon voyage.

Dans la liste des choses à faire avant de mourir, je n'avais jamais cru un jour rayer l'option : « Partir en voyage spontané avec une inconnue. » Encore moins la journée de notre première rencontre.

Il est 6 h 55. Je me demande à quoi ça sert de rester au lit pour les cinq prochaines minutes. Je devrais me lever et sauter dans la douche, mais je ne veux pas réveiller Anna, qui dort à mes côtés. Il y avait longtemps que nous n'avions pas partagé le même lit. On s'est dit que, comme j'allais partir pour une dizaine de jours, on allait profiter d'un peu de temps ensemble.

Enfin, la sonnerie retentit. Un court baiser et je suis déjà sous l'eau. Je nage en plein bonheur, mais j'essaie de redescendre sur terre un instant. Je me retiens pour ne pas chanter à tue-tête. Ce n'est pas dans mes habitudes de sauter de joie avant de partir en voyage d'affaires. Anna risque de se douter de quelque chose si je suis trop enthousiaste.

Une serviette autour de la taille, je fais une dernière vérification de ma valise avant de réaliser que j'oubliais l'élément le plus important de l'équation. Pendant que j'y pense, entre camisoles et sous-vêtements, je glisse mon passeport.

Enfin, je suis prêt pour le grand départ. Le petit-déjeuner me semble interminable. Je m'efforce d'entretenir une conversation avec Anna et de rire aux blagues qu'elle me raconte.

En sortant, je me retourne vers la fenêtre à trois reprises… J'ai l'impression d'être un vrai salaud. Anna et ma mère me regardent avec un grand sourire, en agitant la main. Il ne faut pas que je m'arrête pour y penser. J'ai tellement eu de mal à me décider enfin.

Pour moi, c'est clair. Je m'en vais mettre de l'ordre dans mes idées pour mieux revenir.

Elle m'attendra, je suppose…

Avec un petit sourire en coin, je les salue de la main et leur souffle un baiser. Mon cœur se serre dans ma poitrine. Que suis-je en train de faire ? Je prends mon téléphone en faisant bien attention de ne pas mélanger les deux conversations. Cela pourrait être fatal.

Moi : À tantôt, Abeille ! xxx

Patricia : Je suis prête !

Je vérifie deux fois le destinataire.

⌛

Moi : Je t'aime, Anna xxx

Anna : Bon voyage !

— Vous devrez être très prudents ici, dit Wayan.

— Pourquoi donc ?

— Certaines espèces peuvent mordre et ont la rage.

— On ne pourrait pas aller au cinéma à la place ?

Nous sommes en plein cœur de la Monkey Forest, un immense territoire naturel.

C'est supposément une forêt sacrée. On dirait plutôt un zoo. C'est un des nombreux attraits touristiques d'Ubud, qui doit aussi être un des plus populaires si je me fie au troupeau qui s'est rué à l'accueil à l'ouverture des portes.

Tout autour de nous, il y a plus de deux cents macaques. Certains d'entre eux sont vicieux et peuvent venir piller nos effets personnels sans même qu'on s'en aperçoive. J'ai bien fait de laisser mon passeport dans la voiture.

Je te regarde admirer l'endroit avec tant de satisfaction. J'en oublie d'observer ce qui nous entoure. Tu es la plus belle carte postale qui soit.

Entre un singe qui se gratte les parties génitales et toi, le choix n'est pas difficile à faire. Tes cheveux battent au vent, comme un drapeau qui surplombe sa patrie. Il faut que je profite de cet instant puisque tout passe tellement vite.

Je ne veux pas penser au jour où je devrai repartir d'ici.

Pourtant, c'est écrit, blanc sur bleu, dans le ciel magnifique de Bali.

23

La journée de travail est plus longue et plus désagréable qu'une opération à cœur ouvert. Depuis
ce matin, je règle un à un les cas de force majeure
avec Lucas. C'est lui qui prendra toutes les décisions d'entreprise durant mon absence.

Enfin, je prends le chemin du restaurant où
je vais te rejoindre. Le gymnase situé au premier
étage de ma tour de bureaux m'a servi pour la première fois aujourd'hui. Je me suis refait une beauté,
question de faire une bonne première impression.
J'enfile mon plus bel habit et m'asperge de ce
parfum qu'Anna aime tant.

Je me sens tout drôle. Je sais que ce que je fais
est mal. J'essaie de ne pas trop y penser. Je réglerai
tout ça à mon retour.

Le stationnement du Vivaldi est plein à craquer. Je ne pensais pas qu'il y aurait foule un lundi
après-midi. J'ai choisi cet endroit parce qu'il n'y a
jamais personne en début de semaine, en temps
normal. Je pensais pouvoir te rencontrer en voleur
et t'avoir juste pour moi. Visiblement pas. Une

bonne centaine de personnes seront témoins de notre premier tête-à-tête. Il ne faut pas se gêner !

Je suis en avance. J'ai plus de vingt minutes à tuer. Tu es peut-être déjà à l'intérieur, mais je vais tout de même attendre. Étrangement, je ne suis plus si pressé maintenant.

— Bonjour, est-ce que vous avez une réservation ?

— M. Porter, pour deux personnes, dis-je, la voix tremblante.

— Veuillez me suivre, votre invitée est déjà arrivée.

Je me demande si je vais m'en sortir vivant. Je n'ai jamais rien ressenti d'aussi fort.

Je marche derrière la serveuse. Je n'ai aucune idée de l'endroit où elle me mène. Mes yeux font le tour du restaurant en vitesse. Des couples heureux, d'autres un peu moins, des gens d'affaires, des premiers rendez-vous, tous sont en train de partager de bons repas. On sert les meilleurs plats de pâtes en ville, ici. Je n'ai pas choisi n'importe quel endroit pour notre première rencontre.

Je scrute tout autour. Si au moins je savais ce que je recherche. J'ai passé mon temps à t'imaginer dans mes rêves les plus fous et je suis enfin à deux pas d'en avoir le cœur net.

Noémie se retourne...

— Continuez jusqu'au fond, votre table est sur la droite. Vous y serez tranquilles.

— Merci !

Mon pouls s'accélère. À chaque pas, mon cœur s'agite. Je l'aperçois...

Une magnifique robe noire de chez Prada, un collier de perles et des souliers à talons si hauts qu'ils lui permettent d'atteindre ma hauteur. Je la trouve splendide, oui. Ce n'est pas cela le problème.

— Anna?

— Chéri.

J'essaie de maîtriser ma voix qui se fait chevrotante. Ma gorge se noue. Je n'ai pas d'allergies, mais si c'est ainsi que l'on se sent quand cela arrive, c'est désagréable. Le tuyau laissant entrer l'air dans mes poumons se resserre de plus en plus.

En silence, je récite une prière pour qu'il y ait une explication logique à sa présence ici. Peut-être attend-elle une copine qui avait besoin de parler ou une de ses sœurs qui s'ennuyait. Je me répète sans cesse que c'est un hasard et que je n'ai qu'à foutre le camp d'ici en vitesse, prétextant que j'étais venu faire une réservation pour un dîner d'affaires ultérieur.

— Tu sembles pâle tout à coup…

— Qu'est-ce que tu fais ici?

— Ce que les grandes personnes font normalement dans un restaurant, chéri!

Ça y est. La sueur perle sur mon front et glisse tranquillement sur mes tempes comme sur le dos d'un canard. C'est sûr qu'elle devine qu'il y a anguille sous roche. J'ai tous les symptômes du gars qui s'apprêtait à faire un mauvais coup juste avant que des sirènes de police retentissent. Évidemment, elle ne me passera pas les menottes. Ce sera bien pire.

— Tu as chaud, tu es sûr que ça va ?

— Je couve quelque chose, sans doute. Je crois que je vais retourner au bureau, je n'avais pas vraiment faim. En fait, non, je venais simplement pour réserver une table pour un tête-à-tête.

— Un tête-à-tête ?

— D'affaires... un tête-à-tête d'affaires.

Mon bégaiement me trahit.

— Je dois filer, Lucas m'attend. Je dois me rendre à l'aéroport plus tôt que prévu.

Au moment où je m'élance pour l'embrasser, elle freine mon geste de son bras bien tendu.

— Tu devrais plutôt t'asseoir.

Je dépose mon téléphone cellulaire sur la table, juste à côté du verre d'eau que je viens de boire d'un coup. J'ai la gorge tellement sèche. Pour sa part, elle est plutôt calme, ce qui rend la situation encore plus déstabilisante.

Dans quelques minutes, toi, mon invitée, tu arriveras. Tu assisteras à la scène d'un vieux couple qui se chicane dans un restaurant, sans savoir que c'est moi que tu devais rejoindre. Heureusement que tu ne m'as jamais vu.

Impassible, Anna sort de son sac à main un portable. Ce n'est pas celui que je lui ai offert. De ses ongles fraîchement manucurés, elle l'ouvre. Je comprends de moins en moins ce qui se passe.

— Que fais-tu ici, Anna ?

Au même moment, mon téléphone se met à vibrer, faisant trembler tous les ustensiles de la tablée.

Patricia : Je ne viendrai pas finalement.
Ne m'attends pas.
Je ne viendrai jamais.
En fait, je n'existe pas.

Je relève les yeux. La chute est brutale.

— Comment as-tu pu, Anna ?

— C'est toi qui me demandes cela ? Tu ne vas pas faire la victime dans cette histoire-là, Grégoire Porter.

Quand elle prononce mon nom complet, c'est que rien ne va plus. Je dois m'attendre au pire.

— Tout ce temps, c'était toi ?

— Tout ce temps… du début à la fin. Toutes les heures de conversation. Tous les messages envoyés dans ta boîte de réception privée. Elle n'a jamais existé, cette Honey45. C'était moi. Tu me prends pour une idiote ou quoi ? Les soirs où tu entrais complètement soûl et que tu t'endormais devant ton ordinateur… Moi, je ne dormais pas, Greg. Je ne dormais pas. Tu crois vraiment qu'une femme aurait enduré tout ce temps les humeurs macabres, les vêtements qui empestent la fumée et l'haleine de cognac que tu rapportais constamment à la maison ? Dès les premiers instants, j'ai découvert tes visites fréquentes sur ce foutu site de rencontres. J'ai décidé de m'y inscrire et de faire en sorte que tu t'accroches à cette Honey45 avant que tu tombes amoureux d'une autre et que tu me quittes. Je me suis acheté un portable pour être sûre de pouvoir te joindre de n'importe où. J'ai passé des heures devant l'ordinateur à espérer que tu te brancherais pour pouvoir enfin avoir une conversation avec mon mari. Je sais, je fais pitié au fond. J'aurais dû ramasser mes affaires et m'en aller. Mais je t'aimais, Greg… Je t'aimais…

Je me mets à pleurer d'un seul coup. Des larmes de colère. Je suis bien conscient que je suis fautif dans toute cette histoire. Et malgré tout, j'ai quand même l'impression qu'on s'est foutu de ma gueule. Je repense à toutes les conversations que j'ai pu avoir avec elle, aussi bien par texto que par courriel. J'ai terriblement honte. Mon orgueil vient d'en prendre un coup.

Mes sentiments sont mitigés. Un beau mélange de rage se bat avec une envie folle de décamper.

Les clients peuvent se considérer comme chanceux. Pour une fois, il y a de l'action ici. Ils assistent en ce moment à la scène la plus pathétique que cet établissement aura accueillie en vingt ans d'existence. Une scène digne d'un film à petit budget.

— Pourquoi avoir attendu tout ce temps ? Pourquoi ne pas me l'avoir dit plus tôt ?

— Je voulais savoir jusqu'où tu irais. Je ne pensais jamais que ce serait jusqu'à Bali…

Incapable d'en entendre plus, je me lève et sors du restaurant aussi vite que l'éclair. Derrière le volant de ma voiture, je file vers la Taverne Morneau. Là-bas, au moins, je suis certain de ne pas la croiser. Les idées se bousculent dans ma tête. C'est elle qui devrait être en rogne et c'est moi qui fulmine en conduisant. Pendant tout ce temps, elle était Honey45. La femme drôle, intéressante, intelligente et fabuleuse qui m'a fait rêver pendant de longues nuits.

Ce qui devait être une journée de rêve s'est transformé en un cauchemar sans fin.

J'ai besoin de parler à quelqu'un.

Dan : Greg, l'heure est grave.
J'ai effectué la recherche que tu m'as confiée et j'ai trouvé à qui appartient le numéro de cellulaire de ton coup de foudre.
Appelle-moi dès que tu peux.
C'EST URGENT.

Moi : Trop tard. Ce n'est plus nécessaire maintenant...
Tu vas me dire que l'adresse de facturation du compte est la même que celle de ma résidence...
Que la personne qui a fait l'abonnement à ce cellulaire s'appelle Anna Harrison...
Moi, je peux vraiment t'apprendre quelque chose que tu ne sais pas... Je suis un imbécile !
Elle a demandé le divorce dans un restaurant plein à craquer...
Merci quand même, Dan...

Moi : LUCAS, REJOINS-MOI TOUT DE SUITE... MORNEAU... C'EST ANNA !

Lucas : Qu'est-ce qu'elle a ?

Moi : MORNEAU !

24

Par un simple texto, j'ai réussi à faire comprendre à Lucas l'urgence de venir me rejoindre. Il a probablement dû s'imaginer qu'Anna était morte. Je n'ai pas pris le temps de lui expliquer quoi que ce soit. Pour moi, cela voulait tout dire. Il est vrai que, ne connaissant pas le contexte, il a dû craindre le pire. Mais qu'est-ce qui pourrait être pire que cela, au fond?

Au diable le stationnement réservé et la borne-fontaine! Je me gare directement devant la grande porte vitrée, par laquelle j'aperçois Lucas, déjà à l'intérieur. Malgré mes excès de vitesse, il a été plus rapide!

Je me regarde dans le miroir de ma voiture pour constater que j'ai l'air d'avoir vu un fantôme. Mes joues n'ont pas encore retrouvé leurs couleurs. Je suis dans un tel état de choc que j'ai du mal à marcher sans vaciller. Je me sens vraiment comme si je me trouvais à bord d'un immense bateau de croisière. Il fait beau. Je passe une semaine extraordinaire. Les endroits où l'on accoste sont paradisiaques. Le paysage est d'une telle splendeur

que je me dis chaque instant : «Je peux maintenant mourir en paix. » Soudain, le vent se lève.
La mer est de plus en plus agitée. Une alarme
retentit. C'est la panique générale sur le pont. Des
gens se jettent par-dessus bord. Ils préfèrent tenter
leur chance à la nage plutôt que de couler avec le
navire. Rien ne va plus. On se retrouve sous l'eau.
Un sous-marin ennemi nous a torpillés. Adieu les
vacances de rêve, adieu le monde dans lequel je
vis. Voilà que je reçois une vague en plein visage.

Lucas me lance un verre d'eau pour que je
reprenne mes esprits. Je suis tombé dans les deux
marches de l'escalier qui mène au perron de la
taverne. Le poids de ce que je viens de vivre est
trop lourd. Mes jambes ont flanché.

Gilles, toujours aussi serviable, aide Lucas à me
remettre sur mes deux pattes. Je ne sais même pas ce
qui vient de se passer. Un étourdissement soudain.

— Est-ce que j'appelle un médecin?

— Non, ça ira… Je crois.

Lucas, perplexe, fait signe à Gilles de nous laisser
tous les deux.

— Que s'est-il passé?

— Tu ne me croiras pas…

Quand une phrase commence ainsi, ça peut
annoncer plein de choses.

— Est-ce qu'Anna va bien?

— À merveille, crois-moi.

Je ne me sens pas prêt à lui raconter la mauvaise
surprise que j'ai eue il y a moins d'une heure au
Vivaldi. Pas sans alcool.

— Gary, sers-nous un verre. Ce que tu as de plus fort !

Sans dire un mot, nous buvons un, deux, puis une dizaine de verres en très peu de temps. Je sais très bien que cela ne réglera pas la situation. Au contraire, ça ne peut qu'empirer. Je me demande ce qu'Anna peut bien faire pendant ce temps. Elle est probablement à la maison à se faire du sang d'encre. Ou encore, en train de jouer à Honey45 avec un autre homme.

Plus je bois et moins j'arrive à me situer dans toute cette histoire !

Je me suis toujours posé mille et une questions à savoir pourquoi je m'accrochais tant à cette femme virtuelle. La seule raison qui me paraisse valable aujourd'hui, c'est que c'était parce qu'il s'agissait de ma femme. Celle que j'ai choisie, il y a long-temps déjà, mais que j'ai toujours négligée.

Honey45...

Sans même la voir, j'ai continué à entretenir une relation avec une personne qui ne me don-nait jamais ce dont j'avais envie. Et plus je me noie dans la boisson, moins je pourrais dire de quoi exactement j'avais envie.

— En temps normal, ce que je vais te raconter, je t'aurais dit de le garder pour toi. Mais je n'en ai plus rien à foutre dorénavant.

Les mots s'alignent difficilement et se bous-culent hors de ma bouche. Sûrement à cause des *shooters* qu'on s'enfile, comme des adolescents.

— Je n'irai pas à Bali.

— La fille virtuelle t'a posé un lapin ?

— Pire encore !

— C'est un garçon ?

— Pire encore... Enfin, je pense...

Exaspéré, Lucas abandonne.

— C'était Anna.

— NON !

— Je te jure. Tu sais, toutes les réunions hebdomadaires des vendredis après-midi ? Celles auxquelles je...

Le hoquet interrompt ma phrase.

— Les *meetings* auxquels je n'assiste jamais.

— Oui ?

— Eh bien, pendant que vous y étiez, j'étais en train de tomber amoureux d'une femme qui n'existait même pas, au fond. J'étais en train de retomber éperdument amoureux de ma femme.

— Gary, deux autres, s'il te plaît !

Lucas lève le sourcil droit juste avant de replonger la tête dans son verre, aussi mêlé qu'un jeu de cartes.

— Deux autres !

— Gracieuseté de la maison, renchérit Lucas.

Nous parlons pendant de longues heures, lui et moi. Je lui raconte tout. À quel point j'ai été stupide ! Je lui montre de vieilles photos d'Anna que je garde dans mon portefeuille. Oui, je vais même jusque-là ! À son tour, il me montre des photos de sa défunte femme, Catherine. Dont l'âme flotte encore et toujours ici, à la Taverne Morneau. Je lui parle du voyage qu'on avait toujours rêvé de faire et des enfants que l'on prévoyait avoir.

En nous serrant dans nos bras, nous nous promettons de nous accompagner l'un l'autre dans tous les coups durs que la vie va nous foutre entre les jambes. Pour la première fois, je sens que j'ai un véritable ami sur qui je peux compter, et il sait que c'est réciproque.

Malgré les nombreux verres qu'on a avalés, je sais que tout ce qui vient de se passer ici est vrai. J'en ai la conviction. Lucas est un être d'exception.

Gérard attend sagement debout près de ma voiture quand je ressors du bar.

— Monsieur.

— Bonsoir, Gérard, on va reconduire mon ami, ce soir, s'il vous plaît !

Moi : J'ai plein de cheveux blancs. Je fais un peu d'embonpoint. Je fais du bruit en mangeant. J'aime bien prendre un verre avec les bons gars de la Taverne Morneau. Je suis loin d'être parfait. Mais je suis follement amoureux de ma femme et elle me manque terriblement.

— *C'est ici que s'achève l'aventure pour moi,*
dit Wayan.

— *Attendez !*

Je m'approche de lui pour que tu ne m'entendes
pas.

— *Puis-je vous demander une dernière chose,*
s'il vous plaît ?

— *Bien sûr, monsieur.*

— *Pourriez-vous acheminer ceci pour moi ?*
C'est très important.

— *Bien sûr.*

Je lui remets une enveloppe et un petit conte-
nant en plastique en douce, avec tout ce qu'il
me reste de roupies.

Il s'éloigne, sans doute vers l'aéroport, où
d'autres visiteurs feront appel à ses services.

Tu m'interroges :

— *Ça va ?*

— *Très bien !*

J'enchaîne rapidement pour éviter d'autres
questions.

— Merci pour tout, Wayan ! Saluez votre fils pour nous. Vous avez été extraordinaire.

Tu reviens à la charge.

— Tu me caches quelque chose, Greg...

— Ne t'en fais pas. Je lui ai donné un léger supplément. Il le mérite, pas vrai ?

Nous avons prévu la fin de notre voyage ensemble, toi et moi. Tu considérais que j'avais quand même un mot à dire sur la fin du périple.

Le réveil s'est fait très tôt. Nous devons arriver à destination avant 6 heures du matin aujourd'hui.

Devant le port, des bateaux attendent patiemment que des touristes y grimpent pour faire le tour des îles paradisiaques entourant Bali. Ils ne viendront pas aujourd'hui. Le peuple se prépare à quelque chose de grand. Demain, c'est le Nouvel An balinais. Tous doivent respecter jeûne et silence. Interdiction de se déplacer, ou même de regarder la télévision. Même les endroits les plus populaires seront désertés. Les commerces seront fermés pour la journée. Chacun se conforme à ces coutumes, y compris les touristes.

Avant le lever du soleil, nous sommes à bord du bateau qui nous emmène d'une île à l'autre. Nous devrons avoir touché terre avant que l'astre ne se lève. Dans la pénombre, on remarque trois petits îlots de terre qu'on appelle les îles Gili.

Gili signifie tout simplement « île » en sasak, la langue parlée par la plupart des habitants de notre destination. Ces paradis sont de plus en plus touristiques. Là-bas, c'est le coin rêvé pour les plongeurs.

Il faut le vivre une fois dans une vie, j'en conviens. Mais la tranquillité en prend un coup.

On nous a conseillé ces îles pour terminer un long voyage. Apparemment, la beauté et la sérénité de Lombok sont sans pareilles. Nous y serons bientôt. L'eau turquoise à perte de vue nous entoure, nous nous laissons porter par les vagues.

25

L'odomètre indique cent vingt-sept kilomètres-heure. L'aiguille affichant le niveau d'essence, quant à elle, m'avertit que je ne pourrai pas faire les vingt-deux kilomètres qui nous séparent, elle et moi, et qui nous sépareront à jamais. Je peste contre ma négligence.

L'écran qui me sert de GPS prend un malin plaisir à me rappeler que je serai en retard, une fois de plus. Arrivée prévue à 8 h 15, me dit-il en gros caractères. C'est quarante-cinq minutes trop tard. Ce n'est pas le temps qui me chavire. C'est elle. Elle ne s'habitue pas. Ponctuelle de la pire espèce, elle m'attend impatiemment depuis 7 h 30, comme prévu. Mais cette fois-ci, c'est devant les portes du palais de justice de Montréal qu'elle se trouvera.

Il y a vingt-huit ans presque jour pour jour, j'étais en direction du même endroit dans le but d'épouser la femme la plus extraordinaire. Anna Harrison.

Je me souviens encore de la première fois où mes yeux ont croisé les siens. Il faisait un temps de chien. On sortait à peine d'une semaine de canicule, ce qui expliquait l'orage. Je me rendais à la bibliothèque municipale dans le but de dénicher quelques bouquins pour les vacances, qui étaient sur le point de commencer pour moi. Par intermittence, la pluie battante, les éclairs et les grêlons étaient complètement hors saison. J'attendais la prochaine accalmie pour pouvoir sortir en vitesse et courir vers les grandes portes à ouverture automatique, dont j'allais devoir forcer l'engrenage afin de ne pas me noyer.

Cette matinée-là, j'avais attendu plus d'une demi-heure dans ma voiture, garée devant l'immeuble à bureaux qui logeait la bibliothèque municipale. Juste avant que la grêle reprenne, je t'ai aperçue. Tu courais pour échapper à la tempête quand un éclair t'a fait sursauter et trébucher juste là, à côté de ma voiture. J'en suis sorti d'un bond pour t'aider à te relever. Je t'ai tendu la main, tu l'as attrapée. Tu as levé les yeux, ton regard a croisé le mien. À ce moment précis, c'est moi qui suis tombé. Et de très haut !

Je suis tombé amoureux.

D'un geste maladroit, sous le fouet des grêlons qui ne me dérangeaient soudainement plus, j'ai agrippé la portière de ma vieille bagnole pour constater qu'elle était verrouillée.

J'ai dû refaire le tour du véhicule en courant. Imbécile.

J'ai pris le temps de ramasser les quelques sacs de croustilles et bouteilles de Coca-Cola en verre qui traînaient depuis un bon bout de temps. Cela t'a bien fait rire. J'ai refait le tour de la voiture pour t'ouvrir la portière. Je l'ai refermée une fois que tu t'es assise, confortablement, sur le siège passager.

Tes yeux ne me quittaient plus.

J'étais là, insensible à la pluie battante, et je te regardais par la fenêtre, à travers la buée. Je savais que quelque chose venait de se passer. Quelque chose de grand. Quelque chose qui allait durer longtemps. Du moins, je l'espérais…

Je n'ai jamais été aussi content que le mauvais temps persiste. Dieu que tu étais belle. Tu portais un ruban jaune dans tes cheveux d'un châtain clair que la pluie faisait onduler. On a passé des heures à discuter dans la voiture, stationnée devant la bibliothèque municipale, à se raconter nos vies. On a laissé le temps faire ce qu'il avait à faire, mais on ne s'est plus jamais quittés.

Moi, Grégoire Porter, je crois au destin. Malgré les épreuves qui peuvent causer des bleus au cœur. Même si on peut faire des choix de vie qui sont susceptibles de transformer le cours de celle-ci, notre chemin est tracé. Chaque étoile qui flotte au-dessus de nous est reliée à un petit fil qui maintient le cap sur notre trajectoire. Le gardien du fort, le marchand de sable, celui qui décide de tout, c'est le temps.

Anna avait quarante-cinq ans lorsque j'ai fait la rencontre du démon virtuel.

Honey45.

J'aurais dû y penser.

Trop tard, je réalise à quel point je suis éperdument amoureux d'elle. Je comprends pourquoi j'aimais les conversations avec cette inconnue qui n'en était pas une. Ses propos, son intelligence m'ont attiré, elle possédait toutes les qualités qui ont fait qu'un jour je suis tombé amoureux d'Anna. J'aurais beau mettre mon orgueil de côté pour tenter de lui expliquer tout cela, mon comportement ne peut être justifié. C'est impardonnable.

Moi qui me croyais insubmersible, me voilà coulé.

Les dernières semaines ont été plus difficiles que je ne l'imaginais. Je ne sors plus. Je ne fume plus en cachette. Je n'ai plus envie de travailler. Je n'ai pas non plus envie d'avaler quoi que ce soit, même si ce n'est que pour ma subsistance. Malgré la présence bienveillante de ma mère, la maison est trop grande. Je n'ai pas besoin de tout cela. À quoi sert le bon vin quand celle qu'on aime n'est plus là pour le déguster avec nous ? Comment retrouver le goût de rire quand tout nous semble triste et désespéré ? Je cherche ce que l'avenir pourrait me réserver, mais je ne trouve rien.

Heureusement que Marguerite, Lucas et Jérémie sont là pour me soutenir.

Le sable a repris sa course dans le sablier. Quarante-cinq minutes trop tard, j'entre dans le stationnement du palais de justice.

Je l'aperçois.

Une magnifique robe noire de chez Prada, un collier de perles et des souliers à talons si hauts qu'ils lui permettent d'atteindre ma hauteur. Je la trouve splendide, oui…

— Monsieur Porter.

— Anna, je suis désolé de mon retard.

— J'y suis habituée maintenant…

— J'ai fait une petite escale en route et je n'ai pas vu le temps passer.

— Es-tu passé chez Morneau?

— Non, dis-je en baissant les yeux pour qu'elle ne remarque pas la larme qui me pend au bout du nez.

De ses petits doigts fins, elle prend mon menton et relève doucement ma tête avant de déposer sa main sur ma joue. Je penche légèrement ma tête sur le côté, pour m'y appuyer, m'y blottir.

— Je suis resté pendant de longues heures devant la bibliothèque municipale et je me suis perdu dans mes pensées.

Elle affiche un large sourire juste avant de plonger sa main au fond de son sac à main. Elle en ressort une petite enveloppe contenant probablement les papiers du divorce. J'imagine qu'elle veut qu'on en finisse au plus vite. Personne ne voudrait faire durer plus longtemps ce genre de situation. Elle me tend l'enveloppe. Je la saisis de mes mains tremblantes.

Je l'ouvre du mauvais côté pour découvrir ce qu'elle contient. Un document tombe par terre. C'est un passeport.

— On y va, monsieur Porter?

On débarque directement sur la plage de sable d'un blanc immaculé. C'est en plein ce que je recherchais. Ce sera notre dernière destination. Le poids de mon pied qui frappe le sol en descendant du bateau résonne dans tout mon corps. Je commence à me faire vieux. Je me demande encore comment je vais faire pour affronter ce qui s'en vient. Mon corps est meurtri et mes muscles sont endoloris.

Au loin, on aperçoit le mont Rinjani, un des volcans encore actifs de l'Indonésie. Bien qu'imposant, à travers la brume, il se démarque difficilement. Demain, j'ai bien l'intention de me trouver à son sommet. Rien de moins.

En route, je pourrai me baigner, nu, dans les sources d'eau claire chauffées par la lave en fusion du centre de la Terre. Puis, difficilement, je grimperai les parois à pic du cratère. Je serai le roi de la montagne.

Tu n'es pas d'accord avec moi. Tu ne veux pas me laisser partir seul, mais je le ferai. Je *n'ai pas le choix. C'est un défi personnel que je me suis lancé. C'est un événement unique dans une vie, parvenir au sommet d'un volcan qui menace de se réveiller à tout moment. Je le ferai. Je ne peux malheureusement plus reculer.*

La mort devra me passer sur le corps.

Demain, le colosse fera éruption et viendra déranger la journée silencieuse du Nouvel An balinais.

Le silence sera pesant. Personne ne pourra implorer les dieux de calmer le géant volcanique qui crachera son venin dévastateur.

L'air est vraiment lourd. Le temps est à l'orage. Nous pourrons dire que nous avons été chanceux pendant tout le voyage.

Nous nous écrasons lourdement dans le sable pur de la plage, sans dire un mot, épuisés. Demain, nous respecterons la tradition. Nous resterons silencieux. Je regarde une à une les photos qu'on a prises depuis notre départ. C'est le seul souvenir que je pourrai apporter avec moi.

Demain, vers 5 h 30 du matin, lorsque l'appel à la prière résonnera de la mosquée pour sortir tout être humain d'un sommeil doux et profond, je partirai pour le grand voyage. La grande ascension. J'irai toucher le ciel à bout de bras.

26

Grégoire Porter est décédé sur la plage de Lombok, la journée du Nouvel An balinais, dans un silence profond qui régnait sur toute l'Indonésie. Le Dr Savard l'avait bien averti des dangers de quitter le pays. Son patient ne l'avait jamais écouté. Il n'en faisait qu'à sa tête. Il voulait finir ses jours là-bas, avec sa femme, Anna, la personne la plus importante de sa vie.

Bien qu'il ait failli tout gâcher dans les derniers instants, il avait toujours été un homme droit.

Son temps était compté. Le sable descendait à toute allure dans le grand sablier de sa vie. L'urgence de vivre qui l'habitait était si grande qu'il avait l'impression de vouloir tout accomplir d'un coup avant de lever l'ancre… Le Dr Savard lui avait donné un an. Il aura été un peu trop généreux.

Quelques mois après son décès, un soir où Anna se préparait à se mettre au lit, quelqu'un sonna à la porte de l'immense maison imprégnée de souvenirs de Grégoire Porter.

Un vieil homme se tenait là, dans un grand manteau qui frôlait le sol. Il était vêtu d'une chemise trouée d'un tissu ressemblant à du jute et d'un pantalon brun. Apeurée, Anna s'empressa de verrouiller la porte.

— Madame, ouvrez-moi, s'il vous plaît. J'ai quelque chose pour vous.

Il avait dans ses mains un magnifique paquet.

— Qui êtes-vous ?

— M. Porter m'avait demandé de vous remettre ce paquet, quand le temps serait venu.

En ouvrant la porte, elle eut le temps de lire la petite carte apposée au coin supérieur droit du paquet, juste avant que ses yeux s'emplissent d'eau.

Mon amour, mets ta robe noire, ton collier
de perles et installe-toi devant l'âtre.

Stupéfaite, Anna récupéra le paquet, le cœur gros comme la terre. En remerciant le vieillard d'un signe de tête, elle referma la porte de bois et fit ce que lui indiquait la carte. Elle alla retirer sa tenue de nuit pour enfiler sa robe noire, puis se dirigea ensuite vers le foyer du grand salon, bien vide depuis le départ de son homme.

Comme le souhaitait le défunt, à genoux devant l'âtre, elle s'installa pour ouvrir le mystérieux paquet. Que pouvait-il bien contenir ? Pourquoi avoir attendu aussi longtemps avant de le lui remettre ? Elle venait de passer des mois à vivre son deuil et à mourir d'ennui.

Elle souleva le couvercle doucement, pour ne pas l'abîmer. Elle le déposa près d'elle.

À l'intérieur se trouvait une enveloppe argentée contenant cette lettre, écrite d'une main visiblement tremblante :

Anna d'amour,

Si tu reçois cette lettre, c'est qu'on m'a réduit en poussière. J'ai manqué de souffle à force de courir contre le temps. Le vent de face que j'ai affronté durant toute la dernière année m'a épuisé. J'ai donné tout ce que j'avais pour rester en vie le plus longtemps possible. Je sais que cette année a été extrêmement difficile pour toi. Tu t'es oubliée pour moi. Tu as mis de côté tes rêves et tes ambitions pour faire battre mon cœur, jusqu'à la fin. Je ne pourrai malheureusement jamais te rendre tout ce que tu m'as donné. La seule promesse que je peux te faire, c'est de veiller sur toi, chaque jour de ta vie.

Maintenant que je suis au ciel, je pourrai remercier comme il se doit le Bon Dieu de m'avoir un jour permis de te rencontrer.

Les deux semaines que nous avons passées à Bali m'auront permis de visiter des endroits remarquables, mais par-dessus tout ils m'auront donné la chance de faire le point sur ma vie et de partir l'âme en paix. Cela ne s'achète pas.

On a fait le tour de nombreux endroits
paradisiaques, c'est vrai. Mais rien ne
peut surpasser ta beauté. Le plus beau
paysage qui soit, c'est toi. D'en haut, tu
seras ma carte postale, mon horizon.

Merci de ne pas m'avoir laissé tomber, malgré
la gaffe irréparable que j'ai commise. Je sais
que tu l'as fait pour moi, puisque tu étais
consciente du temps qu'il me restait à vivre.
Tu as fait tout cela dans le but de me faire sentir
vivant jusqu'à la fin. Mission accomplie.

Dis à Lucas qu'il a été l'ami que
je n'ai jamais eu avant.

Embrasse Jérémie pour moi et serre-le très fort
dans tes bras. Je l'aimais comme un fils.

Dis à ma mère d'arrêter de me
pleurer. On se retrouvera un jour.

Maintenant, regarde tout au fond de la boîte.
S'il a écouté mes consignes, le marchand de
sable y aura déposé une photo de nous deux
enlacés, amoureux et complètement fous, à Bali.

Je t'aimerai toujours, ma belle Anna. J'espère
que je ne m'éteindrai jamais dans ton cœur.

Greg xxx

D'un geste délicat, Anna écarta le papier de soie, puis découvrit l'objet lourd qui se terrait au creux de la boîte, tapissée de velours bleu azur lui rappelant les instants qu'ils avaient passés au bord de la mer à Bali.

Tout au fond de la boîte se cachait un sablier de verre translucide.

Celui-là même que Grégoire Porter avait traîné avec lui pendant toute la dernière année qu'il lui restait à vivre. Il avait toutefois quelque chose de différent.

Dorénavant, il renfermait du sable d'un blanc immaculé provenant de Bali, mélangé aux cendres du défunt Grégoire Porter, avec l'épitaphe suivante, gravée en lettres d'or :

Tout mon temps pour toi.
Grégoire Porter 1960-2015

Mot de l'auteur

J'ai toujours dit que je ne manquais de rien dans ma vie, sauf de temps. Ce temps qui file à toute allure et qui se sauve en voleur. Ce temps qui passe trop vite lorsqu'on vit de beaux moments et qui nous semble interminable les soirs de détresse. Il est maître de tout. Il vient à bout de tout. On ne peut le contrôler, encore moins l'arrêter. Petit à petit, il dessine des rides sur nos visages, nous assagissant de jour en jour. Parfois, il fait en sorte que l'on oublie, et que même nos souvenirs les plus précieux disparaissent.

En écrivant ce roman, j'ai eu l'impression d'avoir pu le mettre en veilleuse, le temps. Même si je sais très bien qu'il continuait sa course folle. Cela m'a fait le plus grand bien. Plus rien autour n'existait. Il n'y avait que mon petit sablier, qui continuait à s'écouler tranquillement, et le son des aiguilles de la grande horloge, qui accompagnait mes séances. Comme si le maître voulait me dire quelque chose. Comme s'il voulait me rappeler que rien ne l'arrête.

Une des certitudes de la vie, c'est qu'un jour, inévitablement, nous allons la perdre… C'est la loi. En attendant, aimez-la. Chérissez-la comme un enfant. Le reste viendra, qu'on le veuille ou non. Chaque chose en son temps !

Suivez les Éditions Libre Expression sur le Web :
www.edlibreexpression.com

Cet ouvrage a été composé en ITC New Baskerville 12,25/15
et achevé d'imprimer en mars 2016 sur les presses
de Marquis imprimeur, Québec, Canada.

certifié   procédé   100 % post-   archives   énergie
              sans chlore   consommation   permanentes   biogaz

Imprimé sur du papier 100 % postconsommation,
traité sans chlore, accrédité Éco-Logo et fait à partir de biogaz.